MÁSCARAS

colección andanzas

Libros de Leonardo Padura
en Tusquets Editores

LEONARDO PADURA
MÁSCARAS

1.ª edición: febrero de 1997
2.ª edición: marzo de 2001
3.ª edición: mayo de 2005
4.ª edición: septiembre de 2007
5.ª edición: marzo de 2009

Premio Café Gijón de Novela 1995
Convocado por el Ayuntamiento de Gijón
y patrocinado por la Caja de Asturias

Diseño de la colección: Guillemot-Navares
Reservados todos los derechos de esta edición para
Tusquets Editores, S.A. - Cesare Cantù, 8 - 08023 Barcelona
www.tusquetseditores.com
ISBN: 978-84-8383-151-9
Depósito legal: B. 6.432-2009
Impresión: Limpergraf, S.L. - Mogoda, 29-31 - 08210 Barberà del Vallès
Encuadernación: Reinbook
Impreso en España

Otra vez más, y como debe ser:
para ti, Lucía

NOTA DEL AUTOR

Acogiéndome a ciertas libertades poéticas, en esta novela he citado, con mayor o menor extensión, textos de Virgilio Piñera, Severo Sarduy, Dashiell Hammett, Abilio Estévez, Antonin Artaud, Eliseo Diego, Dalia Acosta y Leonardo Padura, además de varios documentos oficiosos y algunos pasajes de los Evangelios. En más de una ocasión los transformé y en otras hasta los mejoré, y casi siempre les suprimí las comillas que antes se usaban en tales casos.

Por otra parte, quiero agradecer el tiempo y el talento que invirtieron en la lectura y revisión de los originales del libro a los siguientes amigos: Lourdes Gómez, Ambrosio Fornet, Alex Fleites, Norberto Codina, Arturo Arango, Rodolfo Pérez Valero, Justo Vasco, Gisela González, Elena Núñez y, por supuesto, Lucía López Coll. Finalmente, como siempre, advierto que los personajes y eventos de este libro son obra de mi imaginación, aunque se parezcan bastante a la realidad. Mario Conde es una metáfora, no un policía, y su vida, simplemente, transcurre en el espacio posible de la literatura.

PEDAGOGO: (...) No, no hay salida posible.
ORESTES: Queda el sofisma.
PEDAGOGO: Es cierto. En ciudad tan envanecida como ésta, de hazañas que nunca se realizaron, de monumentos que jamás se erigieron, de virtudes que nadie practica, el sofisma es el arma por excelencia. Si alguna de las mujeres sabias te dijera que ella es fecunda autora de tragedias, no oses contradecirla; si un hombre te afirma que es consumado crítico, secúndalo en su mentira. Se trata, no lo olvides, de una ciudad en la que todo el mundo quiere ser engañado.

Virgilio Piñera: *Electra Garrigó,* acto III

Ante todo importa admitir que, al igual que la peste, el teatro es un delirio y es contagioso.

Antonin Artaud: *El teatro y su doble*

Todos usamos máscaras.

Batman

El calor es una plaga maligna que lo invade todo. El calor cae como un manto de seda roja, ajustable y compacto, envolviendo los cuerpos, los árboles, las cosas, para inyectarles el veneno oscuro de la desesperación y la muerte más lenta y segura. Es un castigo sin apelaciones ni atenuantes, que parece dispuesto a devastar el universo visible, aunque su vórtice fatal debe de haber caído sobre la ciudad hereje, sobre el barrio condenado. Es el martirio de los perros callejeros, enfermos de sarna y desamparo, que buscan un lago en el desierto; de esos viejos que arrastran bastones más cansados que sus propias piernas, mientras avanzan contra la canícula en su lucha diaria por la subsistencia; de los árboles antes majestuosos, ahora doblegados por la furia de los grados en ascenso; de los polvos muertos contra las aceras, añorantes de una lluvia que no llega o un viento indulgente, capaces de revertir con su presencia aquel destino inmóvil y convertirlos en lodo o en nubes abrasivas o en tormentas o en cataclismos. El calor lo aplasta todo, tiraniza al mundo, corroe lo salvable y despierta sólo las iras, los rencores, las envidias, los odios más infernales, como si su propósito fuera provocar el fin de los tiempos, la historia, la humanidad y la memoria... ¿Pero cómo puede hacer tanto calor, coño?, susurró mientras se quitaba los espejuelos oscuros para secar el sudor que le ensuciaba la cara y escupía hacia la calle una saliva gruesa y escasa que rodó sobre el polvo demasiado sediento.

13

El sudor le ardía en los ojos, y el teniente Mario Conde miró hacia el cielo, para clamar por la piedad de alguna nube propicia. Y fue entonces cuando los gritos de júbilo atraparon su cerebro. Volaban trayendo una algarabía densa, de coro ensayado, que se expandió como si hubiera brotado de la tierra y se deslizara contra el calor de la tarde, se irguiera por un momento sobre el rugido de los autos y los camiones que corrían por la Calzada, y se abrazara taimadamente a la memoria del Conde. Pero sólo al llegar a la esquina, los vio: mientras un grupo festejaba, saludándose con palmadas y más gritos, otros discutían, también en voz alta y con caras de buenos enemigos, culpándose mutuamente por la misma razón que los otros eran tan felices: éstos perdieron y aquéllos ganaron, concluyó con facilidad cuando se detuvo a mirarlos. Había muchachos de varias edades, entre los doce y los dieciséis, de todos los colores y de todas las trazas, y el Conde pensó que si alguien como él, veinte años antes, se hubiera parado en esa misma esquina del barrio al escuchar una algarabía similar, hubiera visto exactamente lo que él veía: muchachos de todos los colores y todas las trazas, sólo que ése, el que más discutía o festejaba, seguramente hubiera sido el Condesito, el nieto de Rufino el Conde. De pronto se respiraba la ilusión de que allí no existiera el tiempo, porque aquella bocacalle precisa había servido desde entonces para jugar pelota, aunque en ciertas temporadas apareciera, alevoso y traicionero, un balón de fútbol, o un aro de básquet clavado en el poste de la electricidad. Pero al poco tiempo la pelota —al bate, a la mano, al cuatroesquinas, a los tres *rolling-un-fly* o la pared— volvía a imponerse, sin demasiadas controversias, sobre esas modas pasajeras: la pelota los contagió, como una pasión crónica, y el Conde y sus amigos la habían sufrido en proporciones virulentas.

A pesar del calor, las tardes de agosto siempre habían sido las mejores para jugar pelota en la esquina. La época de las vacaciones propiciaba que todo el mundo estuviera a todas horas en el barrio, sin nada mejor que hacer, y el sol sobreexcitado del verano permitía jugar hasta más allá de las ocho de la noche, cuando algún partido de veras lo merecía. Ultimamente, sin embargo, el Conde había visto pocos juegos de pelota en la esquina. Los muchachos parecían preferir otras diversiones menos enérgicas y malolientes que esa de correr, batear y gritar, durante varias horas, bajo el sol calcinante del verano, y él se preguntaba qué harían los muchachos de ahora en las tardes largas de agosto. Ellos no: ellos siempre jugaban pelota, recordó, y recordó que de ellos ya no quedaban muchos en el barrio: mientras unos entraban y salían de la cárcel por delitos mayores y menores, otros se habían mudado para sitios tan disímiles como Alamar, Hialeah, Santiago de las Vegas, Union City, Cojímar o Estocolmo, y hasta tenían a uno con billete sin vuelta hacia el Cementerio de Colón: pobre Marquitos. Por eso, aunque quisieran y tuvieran fuerzas en las piernas y resistencia en los brazos para hacerlo, los de entonces ya nunca podrían organizar otro piquete de pelota, allí en la esquina: porque la vida había devastado aquella posibilidad, como tantas otras.

Cuando la discusión y el festejo terminaron, los muchachos decidieron celebrar otro partido y los dos líderes evidentes del grupo se dispusieron a escoger a los jugadores de cada equipo para redistribuir las fuerzas y continuar la guerra en condiciones más equitativas. Entonces el Conde tuvo una idea: les pediría jugar. Se sentía macerado por las ocho horas de trabajo en la Oficina de Información de la Central de Policía, pero sólo eran las seis de la tarde y prefería no regresar aún al calor solitario de su casa. Lo mejor que podía hacer era ponerse a jugar pelota. Si lo dejaban.

Se acercó al grupo, que estaba alrededor de la tabla escogida como *home-plate*, y llamó al hijo del negro Felicio. Felicio fue uno de los que siempre jugaron con él y, por el tiempo que el Conde llevaba sin verlo, supuso que otra vez estaría preso. El muchacho era tan negro como su padre y había heredado también aquel olor a sudor, abrasivo y amargo, que el Conde conocía de memoria, pues él tenía la facultad de adquirirlo siempre que andaba con Felicio.

—Rubén —le dijo entonces al negrito, que lo miraba extrañado—, ¿tú crees que pueda jugar un rato con ustedes? El muchacho siguió observándolo como si no lo hubiera entendido, y luego miró hacia sus amigos. El Conde pensó que se imponía una explicación.

—Hace tiempo que no juego y me dieron ganas de coger unas cuantas pelotas...

Entonces Rubén se acercó a los otros jugadores, para no cargar él solo con el peso de la decisión. En este país es mejor consultarlo todo, pensó el Conde, mientras esperaba el veredicto. Las opiniones parecían divididas y el acuerdo demoró más de lo previsible.

—Está bien —dijo al fin Rubén, en su función de intermediario, pero ni él ni los otros parecían complacidos ante aquella concesión.

Mientras discutían la formación de los equipos, el Conde se quitó la camisa y dobló dos veces los bajos de sus pantalones. Por suerte, ese día no había llevado la pistola al trabajo. Puso la camisa sobre el muro de la casa donde había vivido el gallego Enrique —muerto él también, hacía diez, ¿veinte?, ¿mil años?—, y al fin le dijeron que era del equipo de Rubén y que iba a servir al campo. Pero, al verse rodeado de los muchachos, sin camisa como ellos, el Conde sintió la evidencia de que todo resultaba demasiado absurdo y forzado: percibía en la piel la mirada socarrona de los jóvenes y pensó que tal vez debían de verlo como al primer misionero llegado a una tribu remota: era un extraño, con otras palabras y otras costumbres, y no le sería fácil integrarse a aquella cofradía que no lo había solicitado, ni lo quería, ni podía entenderlo. Además, todos aquellos muchachos debían de saber que él era policía y, respondiendo a la ética ancestral del barrio, no les resultaría especialmente grato que otros los vieran en tales confianzas con el Conde, por muy amigo que hubiera sido de sus padres o hermanos mayores. Sí, había ciertas cosas que no cambiaban en la esquina. Mientras los de su equipo avanzaban a cubrir sus posiciones, el Conde recogió su camisa y se acercó a Rubén. Quiso pasarle el brazo por los hombros, pero se contuvo al presentir el contacto de su piel con la capa de sudor que cubría al muchacho.

—Discúlpame, Rubén, pero me acordé de que me van a llamar por teléfono. Otro día jugamos —le dijo.

Y se alejó hacia la Calzada, sintiendo que el sol, rojo, impío, ubicado ya a la altura de sus ojos, le quemaba el cuerpo y el alma. Sobre su cabeza pudo ver la espada en llamas que le indicaba la salida irreversible de aquel paraíso irremisiblemente perdido que había sido suyo, y ya no era ni volvería a ser. Si aquella esquina no le pertenecía, ¿quedaba algo bajo su título de propiedad? La lacerante sensación de ser ajeno, forastero, distinto, lo envolvió con tanta fuerza que el Conde tuvo que contenerse y aferrarse a las últimas virutas de su orgullo para no echarse a correr. Y sólo entonces, al recuperar plenamente la conciencia del calor impropio para estar corriendo en la esquina, comprendió la razón pura por la que no habían querido aceptarlo: Cómo no me di cuenta, estos cabrones están jugando dinero...

—¿Qué te pasa, salvaje?

—No sé. Creo que estoy cansado.

—Qué calor, ¿verdad?

—Del carajo.

—Tienes cara de mierda, tú.

—Me lo imagino —admitió el Conde, tosió y escupió por la ventana hacia el patio de la casa. Desde su silla de ruedas el Flaco Carlos lo observó y alzó los hombros. Sabía que cuando su amigo se comportaba así, lo mejor era ignorarlo. Siempre había dicho que el Conde era un cabrón sufridor, un incorregible recordador, un masoquista por cuenta propia, un hipocondriaco a prueba de golpes y el tipo más difícil de consolar de los que había en el mundo, y ese día no parecía tener deseos de invertir tiempo y neuronas en desentrañar el ataque de melancolía aguda que sufría su amigo.

—¿Quieres poner música? —le preguntó entonces.

—¿Tú quieres?

—Era un decir. Por hacer algo, ¿no?

El Conde se acercó a la larga hilera de casetes que ocupaban el paño superior de los estantes. Recorrió con la vista los títulos e intérpretes, y casi ni se asombró esta vez del ecléctico gusto musical del Flaco.

—¿Qué te gustaría oír? ¿Los Beatles? ¿Chicago? ¿Fórmula V? ¿Los Pasos? ¿Credence?

—Anjá, Credence —fue otra vez el acuerdo: les gustaba oír la voz compacta de Tom Foggerty y las guitarras primitivas de Credence Clearwater Revival.

—Sigue siendo la mejor versión de *Proud Mary*.

—Eso ni se discute.

—Canta como si fuera un negro, o no: canta como si fuera Dios, qué coño.

—Sí, qué coño —dijo el otro, y se sorprendieron mirándose a los ojos: en el mismo instante los dos habían sentido la agresiva certeza de la reiteración morbosa que vivían. Aquel mismo diálogo, con iguales palabras, lo habían repetido otras veces, muchas veces, durante casi veinte años de amistad, y siempre en el cuarto del Flaco, y su resurrección periódica les provocaba la sensación de que penetraban en el reino encantado del tiempo cíclico y perpetuo, donde era posible imaginar que todo es inmaculado y eterno. Pero muchas señales visibles, y otras tantas agazapadas tras la vergüenza, el miedo, el rencor y hasta el cariño, advertían que lo único permanente era la voz grabada de Tom Foggerty y las guitarras de Credence: la calvicie amenazante del Conde y la gordura enfermiza del Flaco, que ya no era flaco; la tristeza compacta de Mario y la invalidez irreversible de Carlos eran, entre otras miles, pruebas demasiado fehacientes de un desastre lamentable y para colmo ascendente.

—¿Hace días que no ves a Candito el Rojo? —le preguntó el Flaco cuando terminó la canción.

—Sí, hace una pila de días.

—La otra tarde vino por aquí y me dijo que había dejado el negocio de hacer zapatos.

—¿Y en qué está metido ahora?

El Flaco miró hacia la grabadora, como si de pronto algo en el aparato o en la canción lo hubiera distraído.

—¿Qué te pasa, bestia?

—Nada... Ahora tiene una piloto y vende cerveza...

El Conde movió la cabeza y sonrió. A varios kilómetros de distancia podía olfatear las intenciones de su amigo.

—Y me dijo que por qué no íbamos un día, tú y yo...

El Conde volvió a mover la cabeza y repitió la sonrisa.

—Tú sabes que yo no puedo ir a eso, Flaco. Eso es ilegal y si pasa algo...

—Ah, Mario, no jodas. Mira, con la clase de calor que hace hoy, la cara de mierda que tú tienes... y de aquí a casa de Candito es cerca... Unas cervecitas. Dale, vamos.

—No puedo, bestia. Coño, acuérdate que yo soy policía —dijo, levantando con los débiles brazos de su voluntad malherida unas banderas que clamaban S.O.S.—. No sigas Flaco.

Pero el Flaco siguió:

—Coño, yo estoy desesperado por ir y pensé que te ibas a embullar. Tú sabes que nunca salgo de aquí, estoy más aburrido que un sapo debajo de una piedra... Unas cervecitas frías. Por mi cumpleaños, ¿no? Y tú ya casi que ni eres policía...

—Pero qué clase de hijo de puta tú me has salido, Flaco. Si tu cumpleaños es la semana que viene.

—Está bien, está bien. Si tú no quieres, no vamos...

El Conde detuvo la silla de ruedas al llegar a la entrada del solar. Volvió a secarse el sudor, mientras observaba el pasillo flanqueado de puertas. Le pesaban los brazos por el esfuerzo de conducir las doscientas cincuenta libras de su amigo por más de diez cuadras, en las que debió ascender dos lomas con sus inevitables descensos. Al fondo del pasillo una lámpara parpadeante arañaba la penumbra y de las puertas abiertas de cada cuarto del solar brotaba el brillo de las pantallas de los televisores y las voces de los personajes de la novela de turno. «Dime, mamá, ¿quién es el culpable de todo lo que ha sucedido? Por favor, dímelo, mamá», rogaba alguien a quien seguramente le habían ocurrido cosas terribles en aquella vida por capítulos que pretendía parecerse a la otra vida. Entonces guardó el pañuelo y avanzó hacia la puerta de Candito, la única que permanecía cerrada. Mientras empujaba la silla de ruedas trató de esconder la cara entre los brazos: todavía soy policía, pensaba, acercándose a la tentación de aquellas cervezas clandestinas y el olvido fresco y apetecible que su acumulación le otorgaría.

Llamó y la puerta se abrió como si los estuvieran esperando. Cuqui, la mulatica que ahora vivía con Candito, sólo había tenido que extender el brazo para hacer girar el picaporte. Como todos los vecinos del solar, ella también veía la telenovela, y en su rostro apareció el asombro del personaje que al fin descubre toda la verdad. «Yo soy el culpable», pensó decir el Conde, pero se contuvo.

—Pasen, pasen —insistió ella, pero en su voz había la incertidumbre del personaje folletinesco: se negaba a creerlo, y tal vez por eso gritó, hacia el interior, sin dejar de observar a los recién llegados—: Candito, tienes visita.

Como en un teatro de títeres, Candito el Rojo asomó su cabeza azafranada entre las cortinas que ocultaban la cocina y el Conde comprendió el código: tener visita significaba algo diferente a tener clientes, y Candito debía salir con cuidado. Pero, al verlos, el mulato sonrió y avanzó hacia ellos.

—Coño, Carlos, lo convenciste —dijo, mientras estrechaba las manos de sus dos viejos compañeros del Preuniversitario.

—Yo te dije que venía y aquí estoy, ¿no?

—Bueno, cuelen, que todavía me queda algo. Oye, Cuqui, prepara un lasqueadito especial para los socios y deja la novela esa, anda. Si cada vez que la veo están hablando la misma cáscara...

Candito acomodó los muebles para que la silla del Flaco pudiera atravesar la sala, levantó la cortina que ocultaba la cocina y abrió la puerta que daba al patio: unas seis mesas, todas ocupadas, hicieron que el Conde se detuviera. Candito lo miró a los ojos y asintió: sí, podía pasar. Pero, desde la cocina, el Conde observó por un momento a los clientes: casi todos eran hombres, sólo tres mujeres, y trató de identificar algún rostro. El instinto lo hizo tocarse la cintura para advertir la ausencia de su pistola, pero se tranquilizó al no reconocer a nadie. Cualquiera de aquellos personajes podía haber tenido un diálogo previo con él en la Central de Policía y al Conde no le gustaba la idea de reencontrárselo en un sitio así.

Las mesas eran redondas, de mármol barato sobre patas de hierro, y en ellas se acumulaban las botellas vacías. Una lámpara de luz fría iluminaba el local y una grabadora pasaba, a todo volumen, canciones adoloridas de José Feliciano, cuya voz trataba de imponerse a la de los bebedores. Junto a un lavadero, dos tanques de metal sudaban su hielo contra el calor del ambiente. Candito avanzó hacia la mesa ubicada en un rincón, que ocupaban dos especímenes de aspecto temible. Les habló en voz baja. Los hombres asintieron y abandonaron sus asientos: uno era un rubio enorme, de más de seis pies y brazos larguísimos, con una cara poblada de tantos cráteres como la superficie lunar; el otro, más pequeño y de piel tan negra que parecía azul, debía de ser nieto directo y heredero universal del mismísimo hombre de Cromagnon: la teoría darwinista de la evolución se le reflejaba en su prognatismo exagerado y en aquella frente angosta donde brillaban las luces amarillas de unos ojos de animal selvático. Con un gesto, Candito el Rojo le pidió al Conde que acercara la silla de Carlos, y con otro indicó a los hombres que le sirvieran tres.

—¿Qué le dijiste a los cavernícolas esos? —murmuró el Conde mientras se sentaban.

—Tranquilo, Conde, tranquilo. Aquí estás de anónimo, ¿no? Esos son mis patas en el negocio.

El Conde volvió la cara hacia el rubio grande que ya se acercaba con las cervezas, las ponía sobre la mesa y, sin hablar, se alejaba hacia los tanques.

—Son tus guardaespaldas, ¿no?

—Son mis patas, Condesito, y sirven para lo que sea.

—Oye, Candito —dijo entonces el Flaco—, ¿y a cómo está el láguer?

—Depende, Carlos, según se consiga. Ahora mismo está complicado y lo puse a tres cañas. Pero lo de ustedes va por la casa, y eso sí que no se discute, ¿okey? —y sonrió cuando llegaba Cuqui con un plato rebosante de lascas de jamón, queso y galletas—. Está bien, negra, sigue en tu descarga con la novela esa —y la despidió con una caricia en las nalgas.

La frialdad de la cerveza produjo cierta paz en el espíritu acalorado del Conde, que lamentó haber bebido la primera botella casi sin respirar. Ahora sólo le molestaba el volumen agresivo de la música y la sensación de desvalimiento que le provocaba estar de espaldas a los demás clientes, pero comprendía que Candito era quien debía mirar hacia el resto de las mesas y decidió despreocuparse cuando el rubio le cambió una vacía por otra llena. La eficiencia regresaba a la ínsula.

—¿Y en qué andas, Conde? —Candito bebió varios tragos cortos—. Hace rato que te me perdiste.

El Conde probó el jamón.

—Ahora estoy de tarugo, porque me suspendieron después de la bronca que tuve con un imbécil ahí. Me pusieron a llenar tarjetas y no me dejan ni asomarme a la calle... Y tú sí cambiaste tu onda completa.

Candito bebió un trago largo de su botella.

—Tiene que ser así, Conde, y tú lo sabes: lo que uno no puede es quemarse en ningún bisne. Lo de los zapatos estaba medio en candela y na, cambié el picheo. Tú sabes que la calle está durísima y que, si uno no tiene pesos, está fuera del juego, ¿no?

—Si te cogen en esto vas a tener líos. Por lo menos de una buena multa no te salva ni Dios... Y si a mí me cogen aquí, no salgo de tarugo por el resto de mi vida.

—No te pongas así, Conde, que yo te digo que no hay líos.

—Y tú sigues yendo a la iglesia, ¿no?

—Sí, a veces voy. Siempre hay que estar en buena con alguna gente... Como con la policía, por ejemplo.

—Déjate de comer mierda, Candito.

—Dejen eso, caballeros —intervino el Flaco—. Estos lagartos están que se parten. Dile que me traigan otro, Rojo.

Candito levantó el brazo e indicó:

—Tres más.

El rubio volvió a servirles. Ahora en la grabadora se oía la voz de borracho melodioso de Vicentico Valdés —aseguraba saber dónde estaban los aretes que le faltan a la luna— y, mientras bebía su tercera cerveza, el Conde sintió que se relajaba. Ser policía, durante más de diez años, le había engendrado tensiones que lo perseguían por todas partes. Sólo en algunos lugares, como en la casa del Flaco, lograba despojarse de ciertas obsesiones y sentir la levedad visceral de los viejos tiempos, aquella época de la que hablaban ahora, cuando eran estudiantes en el Pre de La Víbora y los sueños de futuro eran posibles y frecuentes, porque entonces el Flaco era flaco y caminaba sobre sus dos piernas y no lo habían herido en la guerra de Angola, Andrés pretendía ser un gran pelotero, el Conejo insistía en reescribir la historia, Candito el Rojo lucía su efervescente y azafranado pelo afro y el Conde se dedicaba a sudar sobre una Underwood sus primeros cuentos de escritor abortado.

—¿Te acuerdas, Conde? —le preguntó Candito, y Mario dijo que sí, también se acordaba de aquella historia tan simpática que ahora no había escuchado.

El rubio trajo la cuarta ronda de cervezas, y Cuqui el segundo plato de lasqueados, sobre el que se abalanzó el Flaco Carlos. El Conde se inclinó, para atrapar una lasca de jamón, cuando Candito se puso de pie, haciendo caer la silla que ocupaba.

—Hijoeputa —gritó alguien.

Sin tiempo para levantarse, el Conde volvió la cabeza y vio al mulato que, tapándose la cara, trastabillaba hacia atrás, como si huyera del rubio grande que estaba frente a él con una botella en la mano. Entonces el negro prehistórico se acercó por detrás del hombre, gritando hijoeputa, hijoeputa, y se afincó en sus piernas de simio de combate y le molió los riñones con una serie de ganchos rapidísimos que lo pusieron de rodillas. El rubio grande, mientras tanto, ya había dado la espalda a su compañero y miraba hacia el resto de las mesas, con las manos en la cintura, advirtiendo: El que se levante... Pero nadie más se había levantado.

El Conde, ya de pie, vio cómo Candito pasaba por su lado y llegaba frente al mulato penitente y lo agarraba por el cuello de la camisa. De una ceja del hombre brotaba la sangre, mientras el negro pequeño, del otro lado, lo sostenía por el pelo y con un cepillo de lavar en la otra mano lo golpeaba a la altura de la oreja.

24

—Déjalo ya —gritó Candito, pero el negro insistió con el cepillo—. Que lo dejes ya, coño —gritó y soltó la camisa del mulato para aferrarse a la mano del negro que sólo entonces aflojó su garra. El Conde observó con interés casi científico el derrumbe del mulato macerado: cayó hacia su derecha y su cabeza sonó en el cemento como un coco seco. No, no habría aguantado mucho más. Entonces el rubio caminó hacia la grabadora y cambió la casete: Daniel Santos era el nuevo invitado de la noche. Después, sin mayor prisa, fue en busca del mulato y lo sostuvo por las axilas, mientras el negro pequeño lo levantaba por los tobillos. Salieron por una puerta que estaba al fondo del patio y en la que el Conde no había reparado.

Candito miró hacia el resto de los clientes. Durante un minuto sólo se oyó la voz de Daniel Santos.

—No ha pasado nada, ¿eh...? —dijo al fin—. Si alguien quiere más cerveza me la pide, ¿okey? —y levantó la silla que se había caído con la prisa del despegue.

El Conde ya se había sentado y el Flaco se secaba el sudor que había empezado a bañarlo en toda su gordura.

—¿Qué pasó, Rojo? —el Flaco bebió un larguísimo trago.

—No se preocupen. Como se dice: son gajes del oficio.

—El tipo venía por mí, ¿verdad?

Ahora fue Candito el que bebió de su cerveza y sin mirar escogió una lasca de queso.

—No sé, Conde, pero venía por alguien —respiraba sonoramente, sin dejar de masticar.

—¿Y cómo coño tú lo sabes, Rojo, si el tipo ni habló? —el Flaco no salía de su asombro.

—No se puede dejar que hablen, Carlos, pero venía por alguien.

—Cojones, pero por poco lo matan.

El Rojo sonrió y se pasó la mano por la frente:

—Lo jodido de esto es que tiene que ser así, mi hermano. Aquí la que vale es la ley de la selva: el respeto es el respeto. Y ya ni ése ni ninguno de los que están aquí, ni ninguno de los que oigan el cuento de lo que pasó hoy aquí se vuelve a atrever.

—¿Y ahora qué van a hacer con él? —la curiosidad carcomía al Flaco, que bebía nervioso.

—Ponerlo a descansar hasta que se refresque. Y después de que pague lo que se tomó, lo mandamos para su casa, porque hoy le hace falta dormir temprano, ¿tú no crees?

El Flaco sacudió la cabeza, como si no entendiera algo y miró al Conde, que seguía en silencio, al parecer ensimismado en el bolero que cantaba Daniel Santos.

—¿Tú viste eso, salvaje?

—Claro que lo vi, bestia.

—¿Y tú entiendes algo?

—No. Por mi madre que cada vez entiendo menos... Oye, Rojo, trae más cerveza, anda.

Lo peor de todo era la sensación de vacío. Mientras el timbre del reloj taladraba el cerebro del Conde, advirtiéndole: quince para las siete, quince para las siete, y los párpados luchaban por vencer el peso del sueño y la gravidez cercana de las cervezas, quince para las siete, el vacío iba recuperando su lugar como una mancha de petróleo súbitamente liberada que se extiende sobre el mar de la conciencia: pero se trataba de una mancha sin color, porque era el vacío y la nada, era el fin que siempre comenzaba, uno y otro día, con aquella implacable capacidad de renovación contra la que no tenía defensas ni argumentos válidos: quince para la siete era lo único tangible en medio del vacío.

Ultimamente había empezado a imaginar que la muerte podía ser algo así: un despertar sin atmósfera, trabajoso pero indoloro, desprovisto de expectativas y de sorpresas porque sólo era eso: el hoyo sin fin del mundo del vacío, una nube oscura y acolchada que lo abrigaba, definitivamente. Entonces también trataba de recordar cuando no había sensación de vacío ni pensamientos de muerte, y el amanecer funcionaba como el telón que se alza para la nueva función, imaginada o sorpresiva, no importa, pero de algún modo atractiva y necesaria: es la inadvertida ansiedad de vivir otro día. Pero le ocurría lo mismo que cuando se sentía enfermo y trataba de pensar cómo era cuando se sentía bien, y no lo lograba, pues la omnipresencia del malestar le impedía recuperar otras sensaciones agradables.

Cuando salía a la calle, en mañanas como aquélla, calientes desde el amanecer, arrastrando el sabor solitario del café y sin tener a sus espaldas la despedida de una mujer, ni en la distancia de lo porvenir ningún imán que lo atrajera, el Conde se preguntaba cuál sería la razón última que lo impulsaba aún a poner los relojes en hora y las alarmas a punto, cuando el tiempo era, precisamente, la manifestación más objetiva de su vacío. Y como no hallaba una razón convincente —¿sentido del deber?, ¿responsabilidad?, ¿necesidad de ganarse la vida?, ¿movimiento por inercia?—, se volvía a preguntar qué hacía allí, caminando hacia la cola cada día más compacta y violenta para abordar la guagua, fumando un cigarro que le corroía las entrañas, viendo a gente que cada vez le era más desconocida, sufriendo el calor que crecía por minutos, y se respondió que era su camino adelantado hacia el infierno. Entonces se tocó la cintura y descubrió que, otra vez, había dejado su pistola en la casa. Pidió el último en la cola de la guagua y encendió el tercer cigarro del día. Si de todas maneras me voy a morir...

—El mayor Rangel quiere verte.

Y, con el anuncio del oficial de guardia, el Conde recuperó al menos una de sus esperanzas perdidas: sí, quizás ahora podría tomarse un buen café, capaz de arrancarle el sabor de cocimiento dulce de aquel líquido pardo cargado de partículas no identificables que había bebido en la decepcionante cafetería donde se detuvo antes de llegar a la Central. Observó la cola ante el elevador y se decidió por las escaleras. No se imaginaba cuál sería la razón de la llamada del Viejo, pero con la nariz de la memoria ya podía disfrutar el aroma del café recién colado, servido en aquellas tazas blanquísimas que su jefe solía utilizar. Hacía tres meses, luego de su pelea pública con el teniente Fabricio, el Conde había sido juzgado por el Tribunal Disciplinario y condenado por un periodo de seis meses a llenar tarjetas y pasar télex en la Oficina de Información, hasta que su caso fuera nuevamente analizado y se decidiera si volvía a las investigaciones. Desde entonces evitaba encontrarse con el Viejo: la sentencia del Conde era, para el Mayor, su propia condena. A pesar de sus excentricidades y una falta de rigor que cada vez se hacía más notable, el teniente había sido siempre su mejor hombre y el Viejo confiaba en él y más de una vez le había mostrado cariño y respeto, en público y en privado. Por eso, de algún modo, el Conde sentía que lo había defraudado. Y, para colmo, las Investigaciones Internas a que había sido sometida toda la Central tenían al mayor Rangel de un humor que lo más aconsejable era verlo a distancia, cuando no quedaba más remedio que verlo, pensó.

Empujó la puerta de cristales y entró en la antesala de la oficina del Viejo. Tras el buró que desde hacía varios años había ocupado Maruchi, la jefa de despacho del Mayor, había ahora otra mujer, de unos cincuenta años, uniformada y con los grados de teniente, que esfumó la taza de café que el Conde acercaba a los labios. Mario avanzó hacia ella, la saludó y después de decirle quién era, le informó que el Mayor lo estaba esperando. La secretaria oprimió una tecla del intercomunicador y envió el mensaje hacia el despacho del jefe.

—El teniente Mario Conde.

—Que pase —habló el intercomunicador, y la nueva secretaria se puso de pie para abrir la puerta del despacho.

El mayor Antonio Rangel se había levantado, tras su buró, y le extendía la mano al Conde. Aquel gesto, inhabitual en el Viejo, le advirtió al teniente que las cosas no andaban bien.

—¿Cómo te ha ido allá abajo, Mario?

—Me ha ido, Mayor.

—Siéntate.

El Conde ocupó una de las butacas frente al buró y entonces no pudo contenerse.

—Viejo, ¿y dónde está Maruchi?

El Mayor no lo miró. Buscaba algo en una de sus gavetas, hasta que extrajo un tabaco. No parecía un buen habano: demasiado oscuro, con nervios evidentes, rebelde ante la llama del encendedor que le aproximaba el Viejo.

—Parece un palo —dijo al fin el Mayor, después de expulsar dos o tres bocanadas de humo, mientras miraba la marquilla como si no pudiera creerlo y el Conde esperó su confirmación—. No puedo creerlo. Oye eso, «Selectos», Hecho en Holguín. ¿Quién coño dijo que en Holguín se hacían tabacos? Este país se ha vuelto loco... A Maruchi la trasladaron. No sé todavía para dónde, ni sé por qué. Además, no me preguntes, porque no puedo decirte nada, y si pudiera tampoco lo haría... ¿Me entiendes?

—Es imposible que no lo entienda, Mayor —aceptó el Conde, mientras le decía adiós al café que siempre era posible conseguir con Maruchi—. ¿Y eso que no tiene tabacos buenos?

—No tengo y no te importa. A lo que vamos —dijo el Mayor y se reclinó en su silla. Parecía muy cansado, como si él también hubiera caído en el vacío, pensó el Conde, que siempre había admirado la vitalidad juvenil del mayor Rangel, tan lejana de sus cincuenta y ocho años reales, cultivada y regada con tandas de piscina y horas de golpear pelotas en una cancha—. Te llamé porque vas a trabajar en un caso.

El Conde sonrió levemente, y decidió aprovechar su mínima ventaja.

—¿No va a brindarme café?

En la embocadura del tabaco el Mayor desplegó una de sus sonrisas: apenas un movimiento del labio superior.

—Ya estamos a 7, pero este mes todavía no ha llegado la cuota de café... Te pusiste fatal. Bueno, el lío es que no me alcanzan los investigadores que tengo y no me queda más remedio que levantarte provisionalmente la sanción. Necesito que tú y el sargento Manuel Palacios agarren inmediatamente este caso: un trasvesti muerto en el Bosque de La Habana.

—Un travesti.

—Eso fue lo que dije.

—No, usted dijo un «trass-vesti». Y se dice «tra-vesti».

El Mayor movió la cabeza, negando.

—¿Tú nunca vas a cambiar, hijo mío? ¿Tú te piensas que la vida es un juego? —Su voz se había transformado: la voz del Mayor podía cambiar con el tema y la intención, con la hora y el lugar, y en ese momento era agria y calcinante.

—Discúlpame, Viejo.

—No te disculpo, Conde, no te disculpo. ¿Tú sabes cómo yo tengo la cabeza? ¿Tú crees que es fácil trabajar con un ejército de Investigaciones Internas metido aquí en la Central? ¿Sabes cuántas preguntas me hacen todos los días? ¿Sabes que ya hay dos investigadores expulsados por corrupción y otros dos que van a ser suspendidos por negligencia? ¿Y sabes acaso que todas estas historias me las apuntan también a mí? No, no te puedo disculpar... Y tú, ¿por qué andas vestido de civil? ¿No te dije que debías venir de uniforme mientras estuvieras allá abajo?

El Conde se puso de pie y miró por el ventanal de la oficina. Unos edificios, algunos árboles y el mar tan apacible, allá en el fondo, marcando la línea de tantos sueños, destinos y engaños.

—¿Quién tiene la información del caso? —preguntó y se tocó otra vez la cintura, donde a veces solía llevar la pistola.

—Nadie, acaban de descubrirlo. Creo que ya Manolo te está esperando en tu cubículo. Sal ahora mismo.

El Conde dio media vuelta y avanzó hacia la puerta. Tomó el picaporte, y se detuvo. Se sentía extraño, no sabía si halagado o utilizado, aunque suponía que el Viejo debía de sentirse mucho más extraño que él: que supiera, era la primera vez que el Viejo revocaba la sentencia de un subordinado.

—Es una lástima que no quieras disculparme y no puedas brindarme café. Pero como yo te quiero de verdad, si puedo te voy a conseguir un buen tabaco —dijo, y salió sin esperar respuesta a su comentario ni agradecerle al Mayor que le entregara aquel trabajo. En el último instante decidió que darle las gracias podía ser algo de muy mal gusto.

Cuando el guardia levantó la lona, el fotógrafo aprovechó para apretar una vez más el obturador, como si aún le faltara apropiarse de ese ángulo preciso de la muerte de aquel ser carnavalesco que, según su carnet de identidad, se había llamado Alexis Arayán Rodríguez. Ahora era un bulto rojo, del que salían dos piernas muy blancas, con los músculos bien delineados, que contrastaban con la hierba quemada por el sol. Un rostro de mujer, violáceo y abultado, remataba la figura. Al cuello, bien tensada, llevaba la banda de seda roja de la muerte.

El Conde bajó el brazo y el guardia soltó la tela, francamente aburrido. El Conde extrajo un cigarro y el sargento Manuel Palacios le pidió otro. El Conde se lo dio, de mala gana: Manuel Palacios decía que no fumaba pero, en realidad, lo que nunca hacía era comprar. El Conde miró hacia el río.

En la mañana, debajo de la tupida arboleda del Bosque de La Habana, se vivía la ilusión de que el verano se había extraviado, para suerte de la ciudad. Una brisa cariñosa, que arrastraba los olores oscuros del río, revolvía las ramas de los álamos y los algarrobos insolentes, de los almendros abiertos como carpas de circo y los falsos laureles llovidos de lianas finísimas que se entrecruzaban hasta formar largas trenzas colgantes. El Conde recordó que, de muchacho, había asistido a varios cumpleaños en las glorietas de alquiler del Bosque, al otro lado del puente, y que en una ocasión, encarnando a un Tarzán colgado de las lianas de los laureles, había rayado contra una piedra aquellas botas ortopédicas de estreno que su madre le había puesto para ir a la fiesta. Sobre la piel negra de sus únicos zapatos anuales quedaron dos surcos acusatorios, que le habían costado una semana de castigo, sin ver televisión, sin oír los episodios de Guaytabó ni jugar pelota. El Conde nunca lo había olvidado porque en aquella semana precisa el indio Guaytabó había conocido al viejo Apolinar Matías en la cauchería del Turco Anatolio y habían comenzado su amistad indestructible de luchadores por la justicia y contra la maldad. Y él se había perdido aquel encuentro memorable.

Mirando hacia el río, el Conde pensó que, por suerte, en la ciudad se seguía robando, asesinando, asaltando, malversando con una insistencia creciente y, para él, salvadora. Era terrible, pero era así: aquella muerte por asfixia que el médico forense trataba ahora de explicarle al teniente investigador Mario Conde y a su auxiliar, el sargento Manuel Palacios, le había permitido mitigar su vacío y sentir que su cerebro funcionaba otra vez y servía para algo más que para los dolores de cabeza de sus frecuentes resacas.

—¿Qué te parece, Conde? Sí, es un hombre. Vestido y maquillado de mujer. Ya tenemos hasta travestis asesinados, casi somos un país desarrollado. A este ritmo ahorita fabricamos cohetes y vamos a la luna...

—No hables más mierda y sigue —dijo el Conde, y lanzó la colilla del cigarro hacia el río. A veces le gustaba hablar de ese modo y aquel forense, por alguna razón tan indefinible como inevitable, lo hacía reaccionar con brusquedad. Tal vez sólo fuera por su vulgar familiaridad con la muerte.

—Sigo, pero no hablo mierda... —ripostó el forense y, escuchándolo, el Conde trató de imaginar lo que había sucedido.

Vio a Alexis Arayán, mujer sin los beneficios de la naturaleza, toda ataviada de rojo, con un vestido largo y anticuado, los hombros cubiertos por el chal también rojo y la cintura acentuada por una banda de seda, mientras caminaba con alguien bajo la noche multiplicada del Bosque de La Habana. El Conde pensó que tal vez la brisa se había despertado entonces, y la noche era más propicia y amable que en el resto de la ciudad. Las huellas rescatadas de las sandalias de Alexis marcaban la travesía de la carretera al bosque. Las otras huellas eran de su acompañante, un hombre corpulento, que debía de mirar con sobrada fascinación el rostro de Arayán: cejas bien delineadas, párpados sombreados de púrpura leve, pestañas rizadas con rímel y aquella boca, tan esplendorosamente roja como el extraño vestido llegado de un pasado impreciso pero sin duda remoto. Quizás hubo besos, juegos de manos provocadoras, caricias de aquellos dedos finos y de uñas barnizadas de Alexis Arayán Rodríguez. Entonces se detuvieron, junto al tronco maltratado del flamboyán centenario y florecido, donde se desencadenó aquella tragedia de amor equívoco.

—¿Saben una cosa? —el Conde interrumpió el relato del forense y miró hacia el cadáver cubierto—. Ayer fue 6 de agosto, ¿no?

—Sí, ¿y qué? —intervino ahora el forense.

—Para que ustedes vean que haber ido al catecismo tiene sus ventajas... El 6 de agosto es la fiesta de la Transfiguración para los católicos. Según la Biblia, ese día Jesús se transformó ante tres de sus discípulos en el monte Tabor, y Dios, desde una nube de luz, les pidió a los apóstoles que lo escucharan siempre. ¿No es demasiada casualidad que aparezca un travesti muerto un 6 de agosto?

El sargento Palacios cruzó los brazos sobre su pecho de pollo mal alimentado y miró al Conde. El teniente disfrutó de aquella mirada en la que flotaba la incertidumbre de una tímida bizquera: supo que había sorprendido a su esquelético subordinado, pero a su subordinado le gustaba que él lo sorprendiera de ese modo.

—¿Y cómo carajo tú te acuerdas de eso, Conde? Que yo sepa hace como treinta años que tú no vas a la iglesia.

—Menos, Manolo, menos. Lo que pasa es que esa historia siempre me gustó: en el catecismo me imaginaba a Dios desde la nube, iluminándolo todo, como un reflector...

—Ven acá, Conde, ¿y si Alexis se disfrazaba todos los días? —preguntó el forense, sonriendo con una interrogante triunfal que le hizo pensar al Conde en otras razones para su aversión.

—Entonces se acabó el misterio —admitió el Conde—. Pero sería una lástima, ¿no? La transfiguración de Alexis Arayán... Sonaba bien. Bueno, sigue con tu cuento.

Los vio detenerse bajo el flamboyán. Un destello de la luna, dulcemente dibujado entre el follaje, daba un tono plateado a la pareja del hombre grande y la falsa mujer, sobre los que la brisa hizo caer una lluvia de pétalos rojos. Quizá se besaron, se acariciaron tal vez, y Alexis se arrodilló, como un penitente, seguramente con la intención de satisfacer con su orificio más próximo la urgencia de su acompañante: las manchas de la hierba en sus rodillas delataban su genuflexión. Entonces se precipitó el final de la tragedia: en algún momento la banda de seda roja pasó de la cintura al cuello de Alexis y el hombre grande cortó sin piedad la respiración de aquella mujer que no lo era, hasta que sus ojos delineados desbordaron las órbitas posibles y todos los esfínteres abrieron sus compuertas, dislocados por la asfixia.

—Y esto es lo que no me cuadra bien, Conde. El grande lo mató de frente, a juzgar por las huellas, ¿verdad? Pero parece que el travesti no forcejeó, ni lo arañó, ni trató de zafarse...

—¿Entonces no hubo pelea?

—Si la hubo fue de palabras. En las uñas del muerto no parece haber rastros de nada, aunque después te doy un informe seguro... Pero ahora viene el segundo misterio: el asesino empezó a arrastrar el cadáver hacia allá, fíjate ahí en la hierba, ¿ves?, como si fuera a lanzarlo al río... Pero apenas lo movió dos metros. ¿Por qué no lo tiró al agua si fue lo primero que pensó?

El Conde observó la hierba que señalaba el forense y la lona que ahora cubría el cuerpo de Alexis Arayán, y ocultaba la mancha de tela roja que había alarmado al corredor mañanero, que se desvió de la ruta de su *footing* cotidiano para descubrir el cadáver sobre el que ya circulaban las hormigas, apresuradas por la magnitud del banquete.

—Pero lo más raro de verdad viene ahora: después de matar al travesti, el hombre grande le bajó el *bloomer* y con los dedos le registró el ano... Lo sé porque después se limpió en la bata. ¿Qué les parece esta historia, muchachos? Bueno, hasta ahí llega mi cuentecito. Cuando le hagan la autopsia y en el laboratorio terminen los otros análisis, tal vez tengamos algo más. Así que voy abajo, que tengo otro muertecito en la Habana Vieja...

—Que te vaya bien, Flor de Muerto —dijo el Conde, y le dio la espalda.

Miró de nuevo hacia el río sucio en cuyas aguas se había bañado una vez. En otras aguas, en realidad, pensó como Heráclito: no tan sucias, al menos, allá a la altura del puente de La Chorrera, donde con sus amigos solían pescar biajacas y hasta carpas chinas, cuando alguien decidió que aquellos peces rojos y exóticos se podían multiplicar en los ríos y presas de la isla.

—Bueno, Manolo, atrévete con las preguntas que nos dejó Flor de Muerto. ¿Por qué una persona se deja asfixiar sin resistirse? ¿Y por qué el asesino no lo tiró al agua? ¿Y para qué coño se puso a registrarle el ano?

El sargento Manuel Palacios cruzó los brazos delgadísimos sobre su pecho descarnado. En cada caso que le asignaban con el Conde siempre sucedía igual: él debía ser el primero en equivocarse.

—No sé, Conde —dijo entonces.

El Conde lo miró, extrañado de su cautela.

—Pero cómo que no sabes, si tú siempre sabes.

—Pero hoy no sé... Oye, Conde, ¿qué coño te pasa a ti hoy? Estás de puñeta, viejo...

El Conde volvió a mirarlo, mientras encendía un cigarro. Manuel Palacios tenía razón. ¿Qué le pasaba?

—No sé, Manolo, pero es algo malo. ¿Te imaginas que me alegré cuando me dijeron que tenía un caso de homicidio y que podía irme de la Central? Estoy jodido, compadre, alegrándome de que haya muertos. Y este forense que me pone mal, por mi madre que sí.

Manuel Palacios asintió. Ya conocía demasiado al Conde como para valorar aquellas confesiones pecaminosas, y decidió ser benévolo aquella vez.

—¿Qué te parece un hombre respetable, casado y con hijos, que de pronto liga a una mujer, él no es un ligón y ella es preciosa, alta, y él se entusiasma con su conquista y viene con ella para el Bosque, se besan, se acarician, la mujer se arrodilla para chupársela, como dice el forense, y entonces el tipo descubre que no es una mujer, sino lo contrario? ¿O qué te parece que el grande sea también lo contrario, quiero decir, tan maricón como el muerto, y se haya vengado de Arayán por alguna vieja historia de mariconería? ¿O que el grande sea un aberrado al que le gusta estar con travestis para matarlos después, porque odia a los travestis, pues él mismo es un travesti frustrado por su tamaño y su gordura? Esa es la más bonita de todas, ¿tú no crees?

El Conde tosió, con el cigarro entre los labios.

—Cada día eres más inteligente, por tu madre que sí... Esto es extraño, Manolo. Nadie se deja asfixiar sin darle ni siquiera un arañazo al otro. Y dime, ¿qué cosa se puede llevar escondida en el recto? ¿Drogas? ¿Una joya? ¿Y cómo el otro sabía que debía buscarle ahí?... Pues porque se conocían, ¿no? Pero si el asesino decidió no tirarlo al río es porque está seguro de que nadie lo va a conectar con este lugar ni con ese travesti. ¿Y ese vestido rojo que parece sacado de no sé dónde? ¿Y por qué un travesti tan elegante anda con su carnet de identidad encima? ¿No te parece incongruente? ¿Quieres que te diga una cosa, Manolo? Esto no me gusta ni un poquito. Es que parece demasiado misterioso, y en este país hace demasiado calor y hay demasiadas jodiendas para que de contra también haya misterios. Además, nunca me han gustado los maricones, para que lo sepas. Ya estoy prejuiciado con esto...

—Verdad que sí —admitió el sargento.

—Vete al carajo, Manolo.

Lo peor de los muertos es que dejan vivos, pensó el Conde después que la mujer le confirmara: Sí, es mi hijo, ¿qué pasó ahora?, y a él le pareció tan fuerte y tan segura que le dijo, sin calmantes verbales: Es que lo mataron anoche, y entonces la mujer empezó a consumirse, era físicamente visible la reducción orgánica del cuerpo sobre el amable butacón de cuero, y de entre las manos retorcidas sobre la cara salió aquel grito indeciso...

El carnet que llevaba encima Alexis Arayán indicaba aquella dirección como su residencia permanente: una casona de dos plantas en la Séptima Avenida de Miramar, con un jardín bien cuidado y paredes pintadas de un blanco brillante, paneles de vidrios milagrosamente enteros en la ciudad de los vidrios rotos y dos autos en el *car-porch*. Un Mercedes y un Toyota, le aclaró Manuel Palacios, que sabía todo lo que es posible saber sobre carros y marcas... Era la imagen de la prosperidad, y así debía ser, pues según el carnet, Alexis era hijo de Faustino, precisamente Faustino Arayán, último representante cubano en la Unicef, diplomático de largas misiones, personaje de altas esferas, y de Matilde Rodríguez, aquella mujer que quizá llegara a unos sesenta años muy bien llevados, con el pelo de un castaño delicado y las manos tan cuidadas, y que de pronto parecía tener mucho más de sesenta años y haber perdido la petulante seguridad con que recibió a los policías. Con el grito había aparecido una negra, silenciosamente salida de algún sitio de la mansión. Caminaba sin producir ruidos, como si sus pies no tocaran el piso. El Conde observó su mirada rojiza, que brotaba de unos ojos abultados y brillosos. Sin saludar a los policías se sentó junto a Matilde y empezó a consolarla en voz baja y con gestos casi maternales. Entonces se levantó, salió por donde había entrado y regresó con un vaso de agua y una pequeñísima píldora rosada que le entregó a Matilde. El oficio del Conde le permitió advertir un temblor fugaz en las manos de la negra cuando se acercaron a las manos descontroladas de la madre de Alexis. Todavía sin mirar al Conde o a Manolo, la negra dijo:

—Ultimamente está muy mal de los nervios —y, ayudándola a ponerse de pie, se llevó a Matilde hacia las escaleras.

El Conde miró a Manuel Palacios y encendió un cigarro. Manolo alzó los hombros diciendo: Del carajo, y esperaron. El Conde decidió utilizar, mientras tanto, un cenicero azul y blanco que advertía: GRANADA. Todo parecía limpio y perfecto en aquella casa donde, de pronto, se había instalado una inesperada tragedia. Diez minutos después bajó la negra y se sentó frente a ellos. Por fin los miró: sus ojos seguían rojos y brillantes, como los de una persona afiebrada.

—Ultimamente está muy mal de los nervios —repitió, como si fuera una consigna invariable o las únicas posibilidades de su vocabulario.

—¿Y el compañero Faustino Arayán?

—Está en el Ministerio de Relaciones Exteriores, salió temprano —dijo ella, que unió sus manos y las oprimió entre sus piernas, como si orara hacia una imagen clavada en el suelo.

—¿Y usted trabaja aquí? —intervino Manolo.

—Sí.

—¿Hace mucho?

—Más de treinta años.

—¿Sabe si Alexis salió ayer de aquí?

—No.

—¿No vivía aquí?

—No.

—Pero ésta era su casa, ¿o no?

—Sí.

—¿Sí qué: era o no era, salió o no sabe si salió?

—Sí era su casa, pero no vivía aquí y por lo tanto no salió. Desde hace meses... Pobre Alexis.

—¿Y dónde vivía entonces?

La negra miró hacia la escalera que conducía a las habitaciones. Dudaba. ¿Necesitaba permiso? Ahora sí parecía nerviosa, mientras bajaba la mirada roja y se mordía los labios.

—En casa de otra persona... de Alberto Marqués.

—¿Y quién es ése? —siguió Manuel Palacios, acomodando sus escasas nalgas en el borde del asiento.

La negra volvió a mirar hacia la escalera y el Conde sintió la innombrada sensación que una amiga suya, a falta de otra palabra asequible, llamaba líporis: vergüenza por el ridículo ajeno. Aquella mujer, en pleno año de 1989, arrastraba el atávico instinto de la servidumbre: era una criada y, lo peor, pensaba como una criada, envuelta quizás en los velos invisibles pero tensos de una genética moldeada por varias generaciones esclavizadas y reprimidas. La incomodidad física sustituyó entonces a la líporis, y el Conde sintió deseos de escapar de aquel mundo de brillos y esmaltes.

La negra volvió a mirar al sargento Palacios, y dijo al fin:

—Creo que es un amigo de Alexis... Un amigo con el que él vivía. Pobre Alexis, por Dios...

Cuando comprobó la existencia real de la casi imposible dirección, el Conde cerró la libreta a la que había trasladado varios datos del corpulento expediente de Alberto Marqués Basterrechea y la guardó en su bolsillo trasero. Observó las buganvillas del jardín, milagrosamente alegres bajo aquel sol insociable de las dos de la tarde. Magenta, violeta, amarillas, sus flores, como mariposas encantadas, se confundían en un breve boscaje de hojas, espinas y ramas que parecían capaces de sobrevivir a cualquier cataclismo local o universal. La sombra silvestre del jardín, sobre el que se asomaban unas arecas de penachos arrogantes, daba un toque umbrío a la casa que se levantaba unos metros detrás, exhibiendo su número 7, de la calle Milagros, entre Delicias y Buenaventura. ¿Sería un invento de Alberto Marqués aquel número y aquellos tres nombres de calles para ubicar su casa en un rincón del Paraíso Terrenal, dentro de una gloria perfecta y edénica? Sí, aquello debía de ser una de las infinitas estratagemas del demonio, pues según los informes que el Conde guardaba en su libreta, extractados del viejo pero todavía saludable expediente que le facilitó, con una espléndida sonrisa, el especialista de seguridad que atendía al Ministerio de Cultura, cualquier cosa era posible tratándose de aquel preciso y diabólico Alberto Marqués: homosexual de vasta experiencia depredadora, apático político y desviado ideológico, ser conflictivo y provocador, extranjerizante, hermético, culterano, posible consumidor de marihuana y otras drogas, protector de maricones descarriados, hombre de dudosa filiación filosófica, lleno de prejuicios pequeñoburgueses y clasistas, anotados y clasificados con la indudable ayuda de un moscovita manual de técnicas y procedimientos del realismo socialista... Aquel impresionante *curriculum vitae* era el resultado de las memorias escritas, conjugadas, resumidas y hasta citadas textualmente, de varios informantes policiacos, sucesivos presidentes del Comité de Defensa de la Revolución, cuadros del remoto Consejo Nacional de Cultura y del actual Ministerio de Cultura, de la consejería política de la embajada cubana en París y hasta de un padre franciscano que en una época prehistórica fuera su confesor y de un par de amantes perversos, interrogados por causas estrictamente delictivas. ¿Dónde coño me he metido?

Tratando en vano de limpiar su mente de prejuicios —es que me encantan los prejuicios, y yo no resisto a los maricones—, el Conde atravesó el jardín y subió los cuatro escalones del portal, para oprimir el timbre que sobresalía como un pezón debajo del número 7. Lo acarició dos veces y repitió la operación, pues hasta él no llegó el sonido de la campana, y cuando lo iba a tocar otra vez, dudando si decidirse por el aldabón, sintió que la oscuridad lo asaltaba tras la puerta que se abría, lentamente, junto a la cara pálida del dramaturgo y director de teatro Alberto Marqués.

—¿De qué se me acusa ahora? —preguntó el hombre, dotando a su voz profunda de una ironía explícita. El Conde trató de superar la sorpresa de la puerta que pareció abrirse sola, de la palidez espectacular de la cara de su anfitrión y de la pregunta con que lo atacó, y optó por sonreír.

—Busco a Alberto Marqués.

—Soy yo, señor policía —dijo el hombre, y abrió unos centímetros más la puerta, con una teatralidad marcada, como para que el Conde tuviera el placer prohibido de verlo de cuerpo entero: más que pálido, incoloro, delgado hasta la escualidez, con la cabeza apenas decorada por una lanilla lacia y desmayada. Se cubría desde el cuello a los tobillos con una bata china que pudo haber pertenecido a la dinastía Han: sí, pensó el policía, no menos de dos mil años de angustias debían de haber pasado sobre aquella seda, de colores desvaídos como la cara del hombre, raída y agreste como si ya no fuera seda, donde sobresalían, dando testimonio de tantísimas batallas, manchas que podían ser de café, de plátano, de yodo o hasta de sangre, para brindarle un nuevo estampado irregular y tristísimo a lo que quiso ser atuendo de históricos emperadores... El Conde hizo un esfuerzo por sonreír, recordó los terribles informes que llevaba pegados a la nalga y se atrevió a preguntar:

—¿Cómo sabe que soy policía? ¿Me esperaba?

Alberto Marqués parpadeó varias veces y procuró organizar las hebras mustias de su pelo.

—No hace falta ser Sherlock Holmes... Con este calor, a esta hora, con esa cara suya y en esta casa, ¿quién puede venir que no sea la policía? Además, ya sé lo del pobre Alexis...

El Conde asintió, concediendo. En los últimos tiempos era la segunda vez que le advertían de su cara de policía y estaba por creer que era verdad. Si había guagüeros con cara de guagüeros, médicos con cara de médicos y sastres con cara de sastres, no era difícil tener jeta de policía después de diez años en el oficio.

—¿Puedo pasar?

—¿Podría no dejarlo pasar?... Entre —agregó finalmente, y abrió la puerta a toda la oscuridad.

Allí no existía el calor, a pesar de que todas las ventanas estaban cerradas y no se sentía el murmullo de algún ventilador atenuante. En la fresca penumbra, el Conde adivinó el techo de puntal remoto y entrevió algunos muebles tan oscuros como el ambiente, dispersos sin concierto por la amplitud de la sala que estaba partida en dos por una pareja de columnas quizás dóricas en sus últimas alturas. Al fondo, a unos cinco metros, la pared se hundía hacia un corredor también sombrío. Alberto Marqués, sin cerrar la puerta, fue entonces hasta una de las paredes de la sala y abrió una puerta-ventana que desparramó la luz grosera de agosto contra el piso ajedrezado de la habitación, provocando una luminosidad agresiva y decididamente irreal: como de una lámpara orientada hacia el escenario. Entonces el Conde lo comprendió todo: había caído en medio de la escenografía de *El precio*, la obra de Arthur Miller que treinta años antes, con éxito todavía recordado (también lo decía el expediente) montara Alberto Marqués y que, hacía unos diez años, él mismo había visto en una versión preparada por uno de los discípulos más ortodoxos del dramaturgo. Había entrado a la escena en que llegan los personajes y..., claro que sí. ¿Sería posible?

—Siéntese, por favor, señor policía —dijo Alberto Marqués, indicando con desgano un sillón de caoba ennegrecida por churres y sudores fosilizados, y sólo entonces cerró la puerta.

El Conde aprovechó esos segundos para observarlo mejor: entre la bata y el suelo vio entonces dos tobillos raquíticos y filosos, tan transparentes como la cara, que se prolongaban en unas patas descalzas, como de avestruz, rematadas por unos dedos extrañamente gordos y separados, con uñas como garfios mellados. Los dedos de las manos eran, sin embargo, afilados, espatulados, como de pianista en ejercicio. ¿Y el olor? Con su olfato devastado por veinte años de práctica activa del tabaquismo, el Conde trataba de separar los olores de la humedad, del vapor de aceite requemado y un vaho conocido pero de difícil identificación, mientras observaba cómo el hombre de la bata de seda china se acomodaba en otro sillón, abría las piernas y colocaba con cuidado sus manos de esqueleto andante sobre los brazos de madera, como si quisiera abarcarlos, poseerlos, con el gesto final de doblar los dedos finísimos sobre los bordes delanteros de la madera.

—Bueno, usted dirá.

—¿Qué sabe de lo que ocurrió con Alexis Arayán?

—El pobre... Que lo mataron en el Bosque de La Habana.

—¿Y cómo lo supo?

—Me llamaron por teléfono esta mañana. Un amigo se enteró.

—¿Quién es ese amigo?

—Uno que vive por allá y vio el lío. Averiguó, se enteró y me llamó.

—Pero ¿quién es?

Alberto Marqués suspiró ostensiblemente, parpadeó un poco más, pero no movió las manos de los brazos del sillón.

—Dionisio Carmona, ése es el nombre, si es lo que quiere saber. ¿Está contento? —y trató de hacer evidente que le molestaba la confesión.

El Conde pensó pedirle permiso, pero se dijo que no. Si Alberto Marqués era irónico, él sería insolente. ¿Cómo aquel maricón iba a atreverse con él, que era un policía? Encendió el cigarro y lanzó el humo en dirección a su interlocutor.

—Puede echar la ceniza en el piso, señor policía.

—Teniente Mario Conde.

—Puede echar la ceniza en el piso, señor policía teniente Mario Conde —dijo el hombre, y el Conde lo obedeció. Te vas a joder conmigo, pájaro de mierda, pensó.

—¿Y qué más sabe?

Alberto Marqués levantó los hombros, mientras cerraba los ojos y expelía otro sonoro suspiro.

—Bueno... que lo ahorcaron. Ay, por Dios, pobre criatura.

Tal vez el hombre estuviera realmente afectado, pensó el Conde, y entonces atacó.

—No, técnicamente lo asfixiaron. Le apretaron el cuello hasta que se le acabó el oxígeno. Con una banda de seda roja. ¿Y sabe que iba vestido de mujer, todo de rojo, con chal y todo?

Alberto Marqués había soltado los brazos del sillón y con su mano derecha se frotaba desde los pómulos hasta la barbilla. *Touché*, concluyó el Conde.

—¿Vestido de mujer? ¿Con un traje rojo? ¿Uno largo, como un batón antiguo?

45

—Sí —respondió el Conde—, ¿qué sabe usted de eso? Porque según sé él salió ayer de esta casa.

—Sí, salió, como a las siete de la tarde, pero le juro que yo lo vi un rato antes y no iba vestido de Electra Garrigó.

París no se acaba nunca, y el recuerdo de cada persona que ha vivido allí es distinto del recuerdo de cualquier otra... Y eso es muy cierto, aunque lo haya dicho Hemingway, que ha sido el escritor másególatra y narcisista del siglo. Mi recuerdo de París es como una nostalgia azul, que en veinte años no he podido sacarme de encima. Porque cuando llegué a París, en aquel mes de abril de 1969, ya había despuntado una primavera tan hermosa que dolía y daba ganas de hacer algo para ser más feliz, si es que la felicidad existe, para ser más inteligente y abarcarlo todo, saberlo todo, o para ser más libre, si es que eso también existiera, existiría o existió alguna vez. Y recuerdo que sentí la magia de un sol cariñoso, como de terciopelo, bañando los Campos Elíseos, los grandes palacios napoleónicos, la frivolidad de los cafés, y entendí mejor lo que había sucedido un año antes. Todavía siento como una caricia en la piel la luz de la tarde contra la luceta frontal de Notre Dame, el rumor histórico y oscuro del Sena a la altura de la *Cité*, y escucho a aquel negro organillero frente al Louvre, haciendo bailar a su monito africano al ritmo de un vals vienés. También recuerdo aquel recital de los Rolling Stones, cuando pretendían ser más rebeldes que los Beatles, y pude verlos a doscientos metros de distancia, bajo el cielo frío de la primavera de París, entre los gritos de adoración de aquellas rubiecitas francesas, liberadas, hijas abortadas y madres recién paridas de una revolución que pudo haber sido y no fue, aunque después de aquel mes de mayo el mundo nunca volvió a ser el mismo, porque sí se había hecho la revolución: la revolución de las costumbres y la moral, la revolución permanente del siglo veinte que Liov Davidovic Bronstein, alias León Trostky, jamás imaginó. Lo recuerdo todo, cada día, cada minuto, cada conversación con Jean-Paul Sartre y con su inevitable Simone de Beauvoir, las cenas con George Plimton mientras me entrevistaba para *Paris Review*, la búsqueda en la vida, en la cuerda locura y en los papeles de Antonin Artaud para una edición ya comprometida de *El teatro y su doble*, la nostalgia adquirida por la muerte de un Camus a quien no conocí y al que siempre conocí tanto, el reencuentro, guiado por los ojos y los pasos de Néstor Almendros, de la escenografía real de tanto cine francés, y la persecución, del brazo de mi amigo Cortázar, de la arqueología jazzística de entreguerras, cultivada en bares como grutas benéficas... Lo recuerdo todo porque iba a ser mi último viaje a París, casi que mi último tango, y la memoria se adelantó a la historia —sabia la memoria—, fabricó su autodefensa previsora, y por eso guardó cada instante feliz de aquel último viaje a París como si supiera que iba a ser mi último viaje a París.

Por eso también recuerdo aquel día de azares concurrentes y cargado de magnetismos propiciatorios, cuando el Recio, el Otro Muchacho y yo cruzamos hacia Montparnasse, flotando sobre el último suspiro de la tarde, en busca de un restaurante griego que sólo se podía llamar La Odisea y se especializaba en ciertos platos de cabritos montañeses. Disfrutábamos del ocio y de la libertad, avanzábamos cogidos del brazo, como un ejército invencible, cuando el Recio lo vio, o la vio, para ser justos. Ella era una mujer alta, de elegancia absorbente, una mujer suprema, como debió de haber sido la dueña de la voz de Edith Piaf, si Edith no hubiera sido un simple gorrión alcohólico: una mujer inquietante en su altura, en su belleza delineada con la maestría de los afeites, en la proyección agresiva de sus senos y aquella boca como de flor metálica. En la piel sentí su soberbia: iba vestida de rojo, llamativa pero tan serena, y en su estampa descubrí la misma dignidad trágica que siempre he visto en la persistente Electra: fue una revelación, o una premonición, vestida de rojo.

—Es un *travestí* —dijo entonces el Recio.

Y yo (y también el Otro Muchacho, de cuyo nombre no debo ni quiero acordarme, pues sería política e ideológicamente inadecuado revelar su vieja amistad con el Recio y conmigo, en aquel París fantasmagórico donde todo era posible, incluso que yo anduviera con él por las calles), me quedé como una estatua de sal: petrificado y anonadado.

—Dios mío, ¿cómo es posible? —dijo el Otro, que hasta se permitía menciones a Dios en la lejanía libérrima de París, cuando en sus conversaciones habaneras aseguraba en público su ideología materialista dialéctica e histórica y su certidumbre de que la religión es el opio, la marihuana y hasta los Marlboros de los pueblos...

—Es perfecta —dije, pues ya sabía de aquellos travestis adelantados de París, que salían a la calle a confundirse y exhibirse, pero nunca pensé en un espectáculo así: aquella mujer hubiera arrebatado a cualquier hombre porque era más perfecta que una mujer, casi diría que era *la* mujer, y así lo dije.

—No. El *travestí* no imita a la mujer —comentó entonces el Recio, como si estuviera dictando una conferencia, con esa voz y esas palabras suyas de saberlo todo-todo. Siempre usaba oraciones largas, estratificadas, barrocas y lezamianas, como caricaturas del pobre Gordo—. Para él, *à la limite* no hay mujer, porque sabe (y su tragedia mayor es que nunca deja de saberlo) que él, es decir, ella, es una apariencia, que su reino y la fuerza de su fetiche encubren un insalvable defecto de las otras veces sabia naturaleza...

Y nos explicó su teoría de que la erección cosmética del *travestí* (así lo acentuaba el Recio, *travestí*), la agresión resplandeciente de sus párpados temblorosos y metalizados como alas de insectos voraces, su voz desplazada, como si perteneciera a otro personaje, siempre en *off,* la boca pretendida, dibujada sobre su boca escondida, y su propio sexo, más presente cuanto más castrado, es todo una apariencia, algo así como una perfecta mascarada teatral, dijo, y me miró, como si debiera mirarme, como si tuviera que hacerlo.

Fue al decir aquella palabra, *apariencia*, cuando lo comprendí todo, cuando mi descubrimiento se armó como fragmentos a su imán y me volví alarmado para buscar al travesti. Pero ya había desaparecido en la penumbra mágica de París, como un destello fugaz... Una apariencia. Una mascarada. Allí había estado la esencia misma de la representación, desde que las danzas rituales se transformaron en teatro, cuando surgió la conciencia de la creación artística: el travesti como artista de sí mismo... Pero ya no estaba, y lo que vi fue al Otro Muchacho, estático y descontrolado, negado a moverse, flechado por aquella posibilidad de lo que él siempre quiso ser —o hacer— y nunca se atrevió...

En el restaurante griego, por una ventana acristalada, se veía el resplandor escarlata del Moulin Rouge. El Otro, que estaba en París enviado por el Consejo Nacional de Cultura porque acababa de publicar un mal libro de éxito programado en medio de la moda tercermundista y latinoamericanista de entonces —siempre a la caza de las oportunidades—, recibía en su cara aquel brillo sanguíneo que lo hacía parecer más excitado, mientras el Recio, que se había encabalgado en el tema, escribía en voz alta algunos párrafos de un futuro ensayo.

—Rey —a veces me llamaba así, subiéndome los grados nobiliarios—, el *travestí* humano es una aparición imaginaria y la convergencia de las tres posibilidades de mimetismo —y marcó una pausa para tomarse una copa de aquel vino áspero de los Balcanes, servido en hermosas imitaciones de antiguas ánforas griegas—: primero, el travestimiento propiamente dicho, impreso en esa pulsión ilimitada de la metamorfosis, en esa transformación que no se reduce a la imitación de un modelo real y determinado, sino que se precipita en la persecución de una realidad infinita (y desde el inicio del «juego» aceptada como tal). Es una irrealidad cada vez más huidiza e inalcanzable (ser cada vez más mujer, hasta sobrepasar el límite, yendo más allá de la mujer)...

»Segundo, el camuflaje, pues nada asegura que la conversión cosmética (o incluso quirúrgica) del hombre en mujer, no tenga como finalidad oculta una especie de desaparición, de invisibilidad, *d'éffacement* y de tachadura del macho mismo en el clan agresivo, en la horda brutal de los machos. Y por último —dijo el Recio—, está la intimidación, pues el frecuente desajuste o la desmesura de los afeites, lo visible del artificio, la abigarrada máscara, paralizan o aterran, como ocurre con ciertos animales que utilizan su apariencia para defenderse o para cazar, para suplir defectos naturales o virtudes que no tienen: el valor o la habilidad, ¿no?

El Otro —siempre tan vulgar, «camuflado» tras una cultura que no tiene—, sin dejar de chupar sonoramente las costillas del cabrito que había devorado —pagaba el Recio—, miró por la ventana, como buscando algo.

—Pero, en fin —preguntó entonces—, ¿son locas o no?

La verdad es que nunca supe por qué el Recio insistía en llevarlo con nosotros durante aquellos recorridos sentimentales y alimentarios por París. Porque al Otro Muchacho —y eso lo sabe todo el mundo— lo único que le importa son las locas, y mientras más de carroza y de baño público, mejor. Y si el Recio necesitaba alguien con quien cruzar espadas, pues en París había miles, los había de catálogo, bellísimos y tan dulces...

—Cubanamente hablando diría que sí, que son locas —dijo al fin el Recio, que también tiene su afición descarriada por las locas—. Así como tú —y sonrió, señalando al Otro—, pero más atrevidas, ¿no? Y ya que estamos en eso, ¿quieren ir mañana sábado a un cabaret donde actúan unos *travestís*?

La invitación me entusiasmó tanto, que bebí sin control una de aquellas ánforas de vino, algo que nunca había hecho ni volvería a hacer en mi vida. Pero en París todo era posible: hasta tomar y no embriagarse... Regresamos a la casa, caminando por la ciudad, y fue aquella noche, en el estudio del Recio, cuando empecé a grabar unas líneas sobre un cartón, y al amanecer ya tenía diseñado el vestido rojo que usaría mi Electra Garrigó en aquella representación iluminada, pero trágicamente abortada, que le demostró al pobre Virgilio Piñera que su obra era tan genial que casi no podía creerlo.

El Conde pensó: Este pajarón me está embutiendo, cuando comprendió que ya eran irreprimibles sus deseos de orinar. La historia del travestismo parisiense por la que se había remontado el Marqués en busca del vestido rojo de su amiguito asesinado se parecía demasiado a una fábula preparada y montada para atrapar incautos, envolverlos en una tela de araña, y luego deglutirlos, tal vez intelectualmente, o quizá físicamente cuando, por ejemplo, dijeran que tenían deseos de orinar. Cruzó las piernas, y fue peor: la presión creció sobre su vejiga desbordada por los líquidos ingeridos para mitigar el calor y comprendió que su urgencia sólo tenía dos opciones: retirarse o pedirle al dramaturgo que le dejara usar su baño. La primera solución era tan inadecuada como la segunda, pues no quería establecer ningún tipo de relación con aquel personaje, pero tampoco podía dejarlo ahora, cuando se ofrecía como un inmejorable conductor hacia los misterios más escabrosos de la vida doble de Alexis Arayán. Aquel Marqués venido a menos era su principal testigo, tal vez, incluso, el asesino del enmascarado, aunque, pensó mientras sentía que estaba a punto ya de orinarse y volvió a estudiar el aspecto físico de su huésped, ¿sería capaz de estrangular a alguien con esos bracitos de sietemesino? Pero orinar en casa ajena siempre le había parecido al Conde el primer paso hacia una descubierta intimidad: ver qué hay en un baño es como observar el alma de la gente: un calzoncillo sucio, un inodoro sin descargar o un gel de baño aromatizado suelen ser tan reveladores como una confesión ante un cura... o ante el juez.

—Necesito ir al baño —dijo entonces, casi sin haberlo ordenado a su cerebro.

Supuso que el Marqués iba a sonreír: sonrió, y dejó caer sobre el Conde una mirada que lo hizo sentirse medido, pesado, sobado en sus intimidades.

—Mire, pase por allí, la tercera puerta a la izquierda. Ah, y para descargar debe sostener la manilla hasta que el agua arrastre todos los efluvios, ¿me entiende?

—Gracias —dijo el Conde y se puso de pie, sabiendo que su vejiga lo había traicionado de un modo bochornoso. Avanzó hacia el pasillo oscuro y atravesó dos habitaciones: como estaba en la línea de visión del Marqués, apenas miró hacia los lados, pero supo que una era un dormitorio, y la segunda un estudio, lleno de libros hasta el lejanísimo techo. Entonces descubrió el origen del olor que no había podido clasificar al principio: era el perfume opresivo y magnético del papel viejo, húmedo y empolvado, que salía de aquel recinto, también oscuro, donde estaba lo que debía ser la biblioteca de Alberto Marqués, seguramente poblada de obras y autores excluidos por ciertos códigos y de exóticas maravillas editoriales, inimaginables para un lector del común, que el Conde trató de imaginar con los residuos de inteligencia que no estaban ocupados por la duda de si llegaría o no ante el inodoro.

Abrió la puerta y encontró el baño: a diferencia del resto de la casa, parecía limpio y organizado, pero tampoco se detuvo a estudiarlo. Se paró frente a la taza, sacó a la luz su pene desesperado y empezó a orinar, sintiendo cómo corría hacia la loza todo el alivio del mundo. Y corría y corría cuando miró hacia la puerta y creyó ver una sombra a través de los cristales nublados en los que había un parche mal encajado. ¿Lo estaría mirando? El Conde se cubrió el pene con la mano, y terminó de orinar mirando hacia la puerta. Esto es lo único que me faltaba, pensó, mientras se sacudía, y recibía el incontrolable temblor del fin de la expulsión. Rápidamente guardó su extremidad disminuida dentro del pantalón y descargó el inodoro, según las instrucciones recibidas. Adiós, efluvios.

Cuando salió al corredor vio al Marqués en la sala, sentado en su sillón. Avanzó hacia él, y volvió a ocupar su asiento.

—Qué rico es orinar cuando uno tiene ganas, ¿verdad? —comentó el dramaturgo y el Conde tuvo la certeza de que lo había observado. Me cago en su madre, se dijo, esto es demasiado, pero trató de ponerse a la ofensiva.

—¿Y qué tiene que ver todo ese cuento de París con Alexis Arayán?

El Marqués sonrió, y dejó escapar unos hipidos cortos.

—Perdón —dijo—. Bueno, tiene que ver por el traje con que lo encontraron y porque él no era un travesti. Mejor dicho, no era lo que se dice un practicante, aunque a veces por jugar lo hacía. Se disfrazaba y montaba personajes. Lo mismo femeninos que masculinos, aunque nunca hubiera sido capaz de subirse a un escenario, ¿me entiende? Era demasiado tímido y cerebral para eso y estaba lleno de inhibiciones, ¿me explico?... Pero a él siempre le gustó mucho ese traje, que fue el que diseñé aquella noche en París para mi versión de *Electra Garrigó* que debía estrenar en La Habana y en el Teatro de las Naciones de París en 1971. Y aunque Alexis era homosexual, como usted ya sabrá, nunca me imaginé que tuviera la osadía que hace falta para ser un travesti y, que yo sepa, nunca salió a la calle vestido de mujer.

—Y entonces, ¿por qué lo hizo ayer?

—No sé, eso debe averiguarlo usted... Para eso le pagan, ¿no?

—Creo que sí —dijo el Conde—. Por cierto, ¿Alexis era católico?

—Sí, cómo no. Y medio místico.

—¿Y le habló algo del día de la Transfiguración?

—¿De la transfiguración? ¿De qué transfiguración?

—De la de Cristo... la que se celebraba ayer, 6 de agosto.

—No, no, no me habló de eso... Mire, ayer él salió de aquí sin despedirse, pero no me preocupé demasiado, porque él era así: medio neurótico, y a veces se volvía muy introvertido. Yo lo sentí salir por el pasillo, y por eso sé que fue como a las siete... Además, para su información: Alexis y yo sólo éramos amigos. El tenía problemas en su casa, los padres lo amenazaban todos los días con botarlo de allí, y entonces él me pidió que lo dejara vivir aquí. Pero no había nada más, ¿me entiende? Cada oveja con su pareja y yo estoy muy viejo para hacer de lobo...

El Conde encendió otro cigarro y otra vez se preguntó: dónde coño estoy metido. Aquel mundo era demasiado lejano y exótico para él y se sentía definitivamente perdido y con mil interrogantes a cuyas respuestas no tenía acceso. Por ejemplo: ¿a aquel maricón viejo le gustaban los maricones o los hombres?, y el hombre que está con maricones, también es maricón, ¿verdad? ¿Dos maricones pueden ser amigos y hasta vivir juntos y no cogerse uno al otro? Pero dijo:

—Lo entiendo, claro... ¿Y cómo se conocieron usted y Alexis? ¿Desde cuándo?

El Marqués volvió a sonreír y se ajustó las solapas de su bata.

—¿De verdad que no lo sabe?... Mire, hace dieciocho años, cuando corría el año del Señor de 1971, yo fui parametrado y, claro, no tenía ningún parámetro de los que se pedían. Se imagina eso, ¿parametrar a un artista, como si fuera un perro con pedigrí? Casi que es cómico, si no hubiera sido trágico. Y, de contra, es una palabra tan feísima... Parametrar. Bueno, empezó toda aquella historia de la parametración de los artistas y me sacaron del grupo de teatro y de la asociación de teatristas, y después de comprobar que no podía trabajar en una fábrica, como debía ser si quería purificarme con el contacto de la clase obrera, aunque nadie me preguntó nunca si yo deseaba ser puro ni a la clase obrera si estaba dispuesta a acometer tal empeño desintoxicante, pues me pusieron a trabajar en una biblioteca pequeñita que está en Marianao, clasificando libros. Y le voy a confesar algo por lo que espero no me meta preso, señor teniente: fue un error. A un artista no se le puede dejar demasiado cerca de buenos libros que él no tiene, porque los roba... Aunque no tenga alma de ladrón, los roba. Imagínese usted que en aquella biblioteca hubo, había, una edición de *El paraíso perdido* con las ilustraciones de Doré. ¿Sabe de lo que le hablo? Bueno, si quiere se lo enseño...

—No hace falta —lo cortó el Conde.

—Bueno, yo trabajaba allí y Alexis iba a estudiar a la biblioteca, pues quedaba cerca del Pre donde estaba matriculado. Y el caso es que él sabía quién era yo y, por supuesto, me admiraba. El pobre, no se atrevía a hablarme, porque se habían dicho tantas cosas de mí... pero, ésas sí usted debe saberlas, ¿no? Hasta que un día se atrevió, y me confesó que había leído dos de mis obras y que había estado en un ensayo de *Electra Garrigó*, y que era la emoción más fuerte que había sentido en su vida... Aquel pobre niño me adoraba, y no hay artista que se resista a la adoración de un joven aprendiz. Bueno, nos hicimos amigos.

—Una sola pregunta más, por ahora —dijo el Conde mientras miraba su reloj. Aquella última historia le parecía la más extraordinaria de todas las oídas y leídas y quiso imaginar qué podía haber sentido aquel hombre aplaudido y mimado por los críticos en el silencio anónimo de una biblioteca municipal, donde sus expectativas se reducían al robo de algún libro apetecible. No, no era tan fácil—. ¿Alexis tenía problemas con alguien? ¿O tenía una relación estable con alguien?

Alberto Marqués no sonrió ni parpadeó esta vez. Sólo

movió los larguísimos dedos con los que cubría el extremo del brazo de su sillón.

—Lo que se dice problemas, pues no lo sé. El fue un muchacho tierno, por decirlo de alguna forma. Necesitaba paz y cariño, y en su casa lo trataban como un leproso, se avergonzaban de él, y eso lo convirtió en un tipo reconcentrado, que veía un fantasma en cada sombra. Además, sabía que nunca llegaría a ser un artista, y eso era lo que había soñado ser toda su vida, pero asumió con valor su falta de talento, y eso sí que no sabe hacerlo todo el mundo, ¿verdad?

El Conde pensó: Verdad. Y se preguntó: ¿Eso será conmigo? No, no puede ser, él no me conoce y yo sí tengo talento. Mierda de talento.

—En su trabajo en el Fondo de Bienes Culturales la gente lo quería, sobre todo los artistas, pues siempre los defendía de las auras inmundas de la burocracia, esas sanguijuelas del talento. Y, bueno, creo que sí, que ahora mantenía relaciones bastante estables con un pintor, un tal Salvador K, al que yo no conozco personalmente. ¿Está satisfecho? ¿Quiere ir otra vez al baño? —y ahora sí sonrió.

El Conde se puso de pie: había encontrado un terrible adversario verbal, pensó, y extendió su mano para recibir los huesos descarnados y mal articulados del famoso Alberto Marqués. Era la mano de una rana.

—No quiero ir al baño, pero no estoy satisfecho. Además, me debe el final de la historia de los travestis.

—Ah, claro, príncipe —dijo el Marqués, sin poder contenerse, y agregó—: Perdón, pero es que tengo afición a los títulos nobiliarios, ¿sabe? Pues cuando quiera, señor policía Conde, pero mire: para obligarlo a volver le voy a prestar el libro que escribió el Recio sobre los travestis. Está dedicado a mí, ¿sabe?... Verá de cuánta locura es capaz el ser humano —y sonrió, montándose sobre una cadena de hípidos y parpadeos incontrolables.

El Conde observó la portada del libro: de una crisálida brotaba una mariposa con rostro de persona, grotescamente dividido: ojos de mujer y boca de hombre, pelo femenino y mentón masculino. Se titulaba *El rostro y la máscara;* y estaba nada crípticamente dedicado a «El último miembro en activo de la nobleza cubana». Sintió deseos de irse a su casa y ponerse a leer aquel libro que tal vez le diera algunas claves de lo que había sucedido o, cuando menos, le enseñaría algo sobre el mundo oscuro de la homosexualidad. En su disertación travéstica el Marqués mencionó tres actitudes posibles de los transformistas: la metamorfosis como superación del modelo, el camuflaje como forma de desaparición, y el disfraz como medio de intimidación. ¿Cuál habría empujado a Alexis Arayán a vestirse de Electra Garrigó la noche precisa del día de la Transfiguración? Al fin aquella historia estaba empezando a gustarle, pero si quería entender algo debía saber un poco más. Al menos una cosa era segura: Alberto Marqués no podía ser el asesino físico de Alexis Arayán. Con esos brazos hubiera necesitado dos horas para asfixiar al joven, mientras éste se apretaba la nariz con los dedos. Pero también era seguro que Alberto Marqués tenía mucho que ver con aquella muerte vestida de rojo.

Cuando vio a Manuel Palacios recostado en el guardafangos del carro, bajo la sombra del primero de los flamboyanes de Santa Catalina, el Conde descubrió cuánto sudaba. Había caminado apenas cuatro cuadras y ya la transpiración le manchaba la camisa, pero su cerebro, aturdido por la información recién acumulada, no había procesado la sensación de calor que ahora se le revelaba húmedamente. Eran casi las cuatro de la tarde y parecía que la temperatura hubiera ascendido varios grados más.

—¿Qué hubo? —le preguntó el sargento, y el Conde se secó con el pañuelo.

—Un tipo rarísimo que me ha jodido el día. Es más maricón que un domingo por la tarde —dijo, y sonrió, porque la metáfora no le pertenecía: llevaba el *copyright* de su viejo conocido Miki Cara de Jeva—. Y tú sabes que yo no resisto a los maricones... Pero este tipo es distinto... El muy cabrón me ha puesto a pensar... Y tú, ¿qué averiguaste?

Mientras el carro avanzaba por Santa Catalina en busca de la Central, Manuel Palacios le contó el primer resultado sorprendente de la autopsia:

—Según tu amigo Flor de Muerto, al tipo no le sacaron nada del culo, Conde: al contrario, le metieron... Dos pesos machos. ¿Cómo te suena eso? ¿Habías oído alguna vez una cosa así?

El Conde movió la cabeza, negando. Pero el sargento no lo dejó procesar su asombro por aquella revelación insólita:

—El hombre que lo mató es blanco, sangre del grupo AB y debe tener entre cuarenta y sesenta años. Posiblemente diestro. Es decir, ya tenemos a un millón y medio de sospechosos...

El Conde se negó a reírle el chiste y el sargento Manuel Palacios terminó su historia: la muerte sí había sido por asfixia, y el asesino apretó la banda, de frente al travesti, y a pesar de eso sólo apareció una mínima muestra de piel ajena en una de las uñas de Alexis. Las huellas del hombre grande indicaban que debía pesar unas ciento ochenta a doscientas libras, que calzaba el nueve, sin defectos en la pisada y probablemente usaba un *blue-jean*, pues en el lugar del crimen apareció una fibra de mezclilla atrapada en un arbusto. Lo de la posible felación estaba descartado, pues al menos no había restos de semen en la boca del muerto. Huellas dactilares no había ninguna y la banda de seda tampoco daba información utilizable alguna. En el área del crimen no apareció nada especialmente revelador: la basura que siempre hay en esos lugares: una botella, un condón usado, colillas de cigarros, una llave oxidada, cabos de tabaco sin marca y con marcas: Rey del Mundo, Montecristo, Coronas, y un peine de plástico al que le faltaban seis dientes y hasta la muela del juicio...

—Entonces está claro que no hubo pelea —comentó el Conde cuando Manolo terminó su inventario—. Y lo de las monedas...

—Sí, está cabrón, ¿no? Pero lo que a mí me parece más raro es que no lo tirara al río. Te imaginas que si aparece en el mar no hubiéramos sabido de dónde había salido o a lo mejor se lo comían los peces y, si lo encontrábamos, no lo hubiéramos identificado. ¿Entramos en la Central?

—No, no —dijo el Conde, que hizo una pausa para lanzar una mirada autocompasiva hacia la casa de Tamara, el más constante de sus amores perdidos, aquella mujer con la piel siempre olorosa a colonias fuertes, con la que había soñado durante los últimos dos mil años de su vida—. Mejor sigue para el Vedado, ahorita me acordé de un amigo mío y quiero hablar con él.

—¿Pero qué coño tú haces aquí, Condenado? —y, como quien no quiere, miró hacia las otras mesas, olfateando posibles reacciones ante la llegada del Conde—. Mira que si esta gente se entera de que tú eres policía y te pones a hablar bajito conmigo, me echan un cubo de mierda arriba...

—El que está hablando bajito eres tú —dijo el Conde en voz alta, y agarró el vaso con ron que estaba sobre la mesa: lo procesó de un solo trago.

Miki Cara de Jeva no se atrevió a detenerlo ni a mirar otra vez hacia los lados, y el Conde sonrió. Hacía casi veinte años que lo conocía y siempre había sido igual: un saco de mierda. En la época del Pre, Miki se hizo famoso como ligón y decía haber establecido un récord absoluto de novias en un curso —por supuesto, siempre con besuqueo incluido—, gracias a aquella jeta sin barros y de corte perfecto, en la que después los años se habían cebado con especial encono: más arrugas de las previsibles a los treinta y ocho años, huellas de granos tardíos, una gordura mal repartida que Miki —nunca vuelto a llamar Cara de Jeva— trataba de esconder con la barba tupida que contrastaba con el escaso pelo que le quedaba sobre la frente, como restos también mortales de lo que una vez fue su arrogante melena rubia. El tránsito de la adolescencia a la adultez había sido, para Miki Cara de Jeva, una devastadora mutación. Sin embargo, después de todo y contra toda apuesta posible, Miki había resultado ser el único escritor reconocido entre sus viejos compañeros del Pre aficionados a la escritura: una novela abominable y dos libros de cuentos especialmente oportunos, le habían dado aquella categoría inmerecida: él sabía —y también el Conde— que su literatura estaba irremediablemente condenada al más rampante olvido, luego de su ocasión premeditada, pero alabada por ciertos críticos y editores, de escribir sobre campesinos y necesarias cooperativas cuando en todos los periódicos se hablaba de campesinos y de necesarias cooperativas, y de gusanos apátridas y escorias, cuando aquellos epítetos se gritaban en las calles del país durante el verano de 1980... Sin embargo, su carnet de la Unión de Escritores lo calificaba así: escritor, y cada tarde Miki se refugiaba en el bar de la Unión a beber unos rones que, pensaba el Conde, en rigor no le pertenecían.

—¿Quieres que hablemos en otra parte? —le propuso entonces el teniente, apenado por la desesperación del supuesto escritor.

—No, deja, aquí nadie te conoce y ahorita se acaba el ron. ¿Quieres un doble?

El Conde miró hacia el mostrador, donde servían ron Bocoy blanco. Displicente, se hizo el que dudaba, tal vez para reafirmarse a sí mismo.

—Sí, creo que me vendría bien.

—Dame cuatro pesos —dijo Miki y extendió la mano.

El Conde sonrió: Claro, un saco de mierda, pensó, y le dio un billete de diez.

—Un triple para mí y un doble para ti.

Mientras esperaba a Miki, el Conde encendió un cigarro y trató de escuchar la conversación de sus vecinos más próximos. Eran tres: un mulato, joven pero muy canoso, que hablaba incansablemente; un trigueño gordo, con barba, y una giba de dromedario mal construido; y un tipo alto, con una cara de bugarrón que hubiera pasmado de entusiasmo al mismísimo Lombroso. ¡Qué imagen de una literatura! Hablaban, mal y con entusiasmo, de otro escritor que al parecer había tenido mucho éxito con una novela reciente y que escribía en los periódicos artículos muy leídos, y lo calificaban de populista de mierda. Sí, decían, destilando hiel por el suelo del local, imagínate que escribe novelas policiacas, entrevistas a peloteros y salseros, y crónicas sobre chulos y la historia del ron: lo que te digo, un populista de mierda, y por eso gana tantos premios, y cambiaban el tema para hablar de ellos mismos, que sí eran escritores preocupados por los valores estéticos y el reflejo de las contradicciones sociales, cuando regresó Miki con los dos vasos de ron.

—No te dije... cogimos el final de la última botella. Esto es lo que me pone nervioso. Cada día se acaba más temprano.

—Te gusta venir aquí, ¿verdad Miki?

El escritor probó su ron, mientras sustraía un cigarro de la cajetilla del Conde.

—Sí, por qué no. Hay ron, uno habla un poco de mierda y de vez en cuando te puedes templar a alguna loca que le haya dado por la poesía. Ahora mismo estaba esperando a una que tiene más billetes que el Banco Nacional. No sé de dónde coño los saca. Así que si llega mi poetisa, te desapareces, ¿está bien?

El Conde asintió, pensando preguntarle quiénes eran sus vecinos y a quién destripaban ahora, pero temió que lo escucharan. Le habría gustado leer aquella historia del ron, pensó, mientras bebía un trago de aquel alcohol incestuoso y ahistórico, por cuyas moléculas corría demasiada agua nunca destilada.

—Miki, ¿qué tú sabes de un pintor que se llama Salvador K?

Miki sonrió y volvió a tomar de su ron.

—Que es un mierda.

—Coño, aquí todo el mundo es mierda, oportunista, populista o maricón, ¿no?

—Así mismo es. ¿Qué tú te creías? ¿Que esto era el Parnaso? ¿Que al entrar aquí te susurraban «Canta, oh musa, la gloria del Pélida Aquiles» o cualquier pendejada así? No, ni cuero, y para que te enteres: ese gallo es esas cuatro cosas juntas. El tipo pinta unos cuadros con muchos colores que se venden muy bien, pero es pura mierda lo que hace... Mira, creo que vive aquí cerca, por N y Diecisiete, en la casa de la mujer. ¿Y qué te pasa con ese tipo?

—Nada, que me lo mencionaron el otro día. ¿Y tú dices que está casado?

—No, te dije que vive en casa de la mujer.

—Anjá. Oye, Miki, y tú que conoces lo peor de la vida de todo el mundo, ¿qué sabes de Alberto Marqués?

Si ahora mismo tú te paras ahí, en la puerta de la Unión y gritas: ¿Quién es Alberto Marqués?, enseguida van a salir doscientos tipos, se van a arrodillar en el piso, van a hacer reverencias y te van a decir: Es Dios, es Dios, y si los dejas un rato más, le organizan un homenaje y le escriben una valoración múltiple, por mi madre que sí... Pero si lo gritabas hace quince años, hubieran aparecido doscientos tipos, casi los mismos doscientos que viste ahora, y te iban a decir, con el puño en alto y las venas del cuello de este gordo: Es el Diablo, el enemigo de clase, el apóstata, el apóstata de la próstata, buena metáfora, ¿no?... Porque esto aquí es así, Conde: antes era mejor ni hablar de él, y ahora es el monumento vivo a la resistencia ética y estética, oye eso qué descarga. A cada rato alguien cuenta que fue a su casa y habló con él, y tienes que oírlos: es como si hubieran ido a La Meca... Comemierdas. Imagínate, ahora dicen que es el padre del posmodernismo criollo, que él, Grotowsky y Artaud son los tres grandes genios del teatro del siglo veinte, que Virgilio Piñera, Roberto Blanco y Vicente Revuelta le deben todo lo que son, y hasta que su mariconería es una virtud porque le permite expresar otra sensibilidad. Así mismo. ¿Tú entiendes algo? Pues yo sí: cuando había que traicionarlo, lo traicionaron, y ahora que no es peligroso, y hasta es de buen gusto llorar por los caídos en viejos combates ideológicos, tú sabes, pues lo adoran. ¿Y al final tú sabes lo que queda? Un tipo requetejodido, con más odio dentro que si lo hubiera preñado un nazi, y convertido en un gran personaje, y no por lo que hizo, sino por lo que no pudo hacer, porque lo tronaron y, cuando quisieron darle un chance, el tipo dijo que no, que no quería hacer más teatro ni publicar nada y se jubiló. Un cabrón héroe, eso es lo que ven ahora... Lo más terrible de todo esto es que el tipo se tuvo que comer de un palo como diez años de silencio y de soledad. De esos doscientos adoradores de ahora, si acaso cuatro o cinco siguieron viéndolo después que lo tronaron, cuando el lío de los maricones y los desviados ideológicos y los idealistas y extranjerizantes y toda aquella descarga del realismo socialista y el arte como arma ideológica en la lucha política... Al tipo lo sacaron de circulación y lo mandaron de *fly* para una librería o una cosa así, no sé bien. Del carajo: una pila de años sin que una línea suya se publicara en la más insignificante revistica, se prohibió que los críticos lo mencionaran cuando se escribía de teatro, desapareció de las antologías y hasta de los diccionarios de autores. Nada: dejó de existir. Se deshizo en el aire, ¡paf!, no porque se hubiera muerto o se hubiera ido del país, que es casi lo mismo. No. Sino porque lo obligaron a cambiar de costumbres. Se hizo famoso en la cola del plátano y la del pan, en el policlínico y en el punto de leche... Terrible, ¿no? Pero lo que casi nadie dice ahora es la clase de mariconazo que fue y que todavía es. ¿Sabes el cuento de los negros alquilados? Pues mira, que ése es genial. El lío es que él hablaba con un negro bugarrón y le decía que le iba a pagar porque se lo templara, pero con una condición: que lo cogiera sorprendido, para que tuviera más emoción. Y le decía al negrón, por ejemplo, que un día cualquiera de esa semana, entre las seis y las nueve de la noche, entrara en su casa y lo agarrara sorprendido y lo violara. Entonces él se ponía a leer, todos los días a esas horas, hasta que un día el negro llegaba y él se mandaba a correr por toda la casa y el negro lo perseguía, y él gritaba y se escondía y el negro al fin lo agarraba, le quitaba la ropa y ¡fuácata!, le soplaba el mandado. ¿Tú has oído cosa más maricona que ésa? Y los cuentos de cuando salía a cazar mancebos por la calle... y mil historias más. ¡Qué clase de maricón! Pero, ¿quieres que te diga lo que es más verdad que todo esto, más verdad que su mariconería, que su truene, que la traición de sus viejas amiguitas, que el culto que le rinden ahora? ¿Quieres? Pues la verdad-verdad es que ese maricón que se caga de miedo si le dan un grito tiene unos cojones que le llegan a los tobillos. Aguantó como un hombre y se quedó aquí, porque dice que si sale de aquí entonces sí se muere, y no le hizo el juego ni a los de adentro ni a los de afuera: cerró el pico y se trancó en su casa... Ojalá yo tuviera la mitad de los timbales que tiene esa loca de... Coño, vete echando, Condenado, que por ahí viene mi poetisa. ¿Tú sabes cómo me dice la *crazy* esta? Miki Rourke, oye qué descarga esa... Me cago en la mierda, ya se me acabó el ron. Terrible, ¿no?

El Conde se lanzó a la calle 17 con un mal sabor en la boca —y no por culpa del ron—, la proa apuntando al mar y el casco dispuesto a no dejarse derrotar esta vez por la fastuosidad incisiva, y al parecer a prueba del tiempo y otras erosiones, de aquellos palacios que un día resumieron el orgullo de una clase en su momento de esplendor creativo y le dieron a la calle el mote hacía tiempo olvidado de Avenida de los Millonarios. El éxito de aquellos hombres muy ricos —que no salían del asombro de serlo, y tanto, con apenas tres golpes de audacia política, financiera o hasta contrabandista—, necesitaba de tal modo de la evidencia que todos se empeñaron en darle forma eterna a su fortuna, y compraron todos los talentos necesarios para perpetuar su victoria y la magnificaron en piedras, hierros y cristales capaces de formar las mansiones más deslumbrantes de la ciudad. Ni siquiera se preguntó, inmerso en su ánimo de navegante con rumbo fijo de esa tarde, cómo era posible vivir en una casa de cuarenta habitaciones ni qué se podía sentir al ver el amanecer a través de los cristales que formaban aquel vitral de San Jorge sobre el dragón o de la floresta tropical de una luceta gigantesca, parida de todos los frutos posibles de la naturaleza y la imaginación. Lo que pensó, mientras avanzaba por aquella avenida, reciclada hacía tres décadas y ahora ocupada por oficinas, empresas y algunas ciudadelas atestadas de vecinos, fue que exactamente cuando él tenía dieciséis años y escribía su primer cuento, Alberto Marqués era sentenciado a olvidarse de la gloria y los aplausos. Su pobre cuento se titulaba «Domingos» y fue escogido para figurar en el número cero de *La Viboreña*, la revista del taller literario del Pre. El cuento relataba una historia simple, que el Conde conocía muy bien: su experiencia inolvidable, cada despertar de domingo, cuando su madre lo obligaba a asistir a la iglesia del barrio mientras el resto de sus amigos disfrutaba la única mañana libre jugando pelota en la esquina de la casa. El Conde quiso hablar, así, de la represión que conocía, o al menos de la que él mismo había sufrido en los tiempos más remotos de su educación sentimental, aunque, mientras lo escribía, no se formuló el tema en esos términos precisos. Lo frustrante, sin embargo, fue la represión que desató aquella revista que nunca llegó al número uno —y dentro de ella, también su cuento—. Cada vez que lo recuerda, el Conde recupera una vergüenza lejana pero imborrable, muy propia, toda suya, que lo invade físicamente: siente un sopor maligno, unos deseos asfixiantes de gritar lo que no gritó el día en que los reunieron para clausurar la revista y el taller, acusándolos de escribir relatos idealistas, poemas evasivos, críticas inadmisibles, historias ajenas a las necesidades actuales del país, enfrascado en la construcción de un hombre nuevo y una sociedad nueva (había dicho el director, el mismo director que un año después sería expulsado por fraudes incontables, cometidos en su empeño de ser reconocido como el director del mejor Pre de la ciudad, del país, del mundo, aun cuando su dirección se elevara sobre la mentira: sólo importaba que los demás pensaran que era el mejor director y lo reconocieran como tal, con todos los privilegios que el reconocimiento podía engendrar...). ¿Qué tenía que ver su cuento con todo aquello que le dijeron?, se pregunta otra vez, calle abajo y viento en popa. Sí, cuando eso ocurrió, él tenía dieciséis años y Alberto Marqués casi cincuenta, aquél era su primer cuento y pensó que se moría, pero Alberto Marqués ya estaba acostumbrado a vivir entre aplausos, loas y felicitaciones que les fueron negadas un mal día porque él y sus obras no cumplían determinados parámetros que de pronto se consideraron inviolables. ¿Qué habría sentido aquel hombre de aspecto diabólico y lengua punzante al verse separado de lo que quería, conocía y podía hacer, y al saberse castigado a sufrir un silencio de plazos que podían ser perpetuos? El Conde trató de imaginarlo, como trató de imaginar otras veces los amaneceres en aquellos palacios, y no pudo: le faltaba la experiencia, pero recordó su vieja vergüenza, su ira primaria de los dieciséis años, y pensó que debía multiplicarla por cien. Quizás así pudiera acercarse a las proporciones de aquella frustración mayúscula, confinada al espacio de una biblioteca municipal. ¿Era tan dañino que merecía ese castigo brutal y el ejercicio castrante de la reeducación para que diez años después le dijeran que fueron errores estratégicos, malentendidos de extremistas ya sin nombre y sin buró? ¿La ideología nueva, la educación de las masas nuevas, el cerebro nuevo del hombre nuevo podían ser contaminados y hasta destruidos por empeños y ejemplos como los de Alberto Marqués? ¿O no era más perjudicial una literatura de oportunidad como la que cultivaba su ex compañero Miki Cara de Jeva, siempre dispuesto a pervertir su escritura y, de paso, a vomitar su frustración sobre todo aquel que escribiera, pintara o bailara con verdadero talento? No, no podía haber comparación, y el mundo, aunque fuera gris, no podía serlo del modo en que lo coloreaba Miki, nunca vuelto a llamar Cara de Jeva. Entonces el Conde comprendió que aquella historia lo estaba reblandeciendo, a él, que era cada vez más blando, y comprendió también que la mariconería de Alberto Marqués empezaba a preocuparle menos y que una furtiva solidaridad de rebelde comenzaba a acercarlo al dramaturgo, y hasta empezó a lamentar un posible descubrimiento que de algún modo lo inculpara en el asesinato y lo llevara con toda su mariconería y su frustración y su dignidad y su cara tan fea a una cárcel donde sus nalgas se convertirían en un florero, y donde el servicio de los bugarrones, aunque no sorpresivo, sería gratis, eso sí se podía garantizar... En fin, allí estaba el mar.

Apriétale hasta la vida, llévalo bien recio, métele un dedo en un ojo, le había ordenado a Manolo después de explicarle quién era Salvador K. y de encomendarle aquella primera entrevista con el pintor. Y cuando lo vio, el Conde tuvo una prejuiciada esperanza: el tipo tenía un poco más de cuarenta años y debía de pesar unas doscientas libras, se sostenía sobre unos pies grandes —¿llegaría al nueve?— y

67

exhibía brazos de fisiculturista, apropiados para apretar una banda de seda hasta ahogar a un hombre, quizá sin dejarlo combatir.

Sentados en la sala del apartamento, los policías rechazaron las intensas ofertas de agua, té y hasta de café, según correspondía al plan que habían acordado. No, ni agua. Salvador K. parecía nervioso y trataba de congraciarse con los policías.

—Es una verificación, ¿verdad?

—No, no —dijo Manuel Palacios, y se sentó en el borde del sillón. Al Conde le gustaba aquel estilo agresivo de su raquítico subordinado—. Es algo mucho más serio y usted lo sabe. ¿Quiere hablar aquí o vamos a otra parte?

El pintor sonrió, nerviosamente. Está apendejado, susurró la experiencia del Conde.

—Pero ¿de qué cosa...?

—Entonces hablamos aquí. ¿Qué relación tenía usted con Alexis Arayán?

Como ya le caía mal, el Conde se alegró de ver cómo las últimas esperanzas de Salvador K. naufragaban con la sonrisa que desertó de sus labios.

—Yo lo conozco —dijo, tratando de aparentar cierta dignidad sorprendida—. Del Fondo de Bienes Culturales. ¿Por qué?

—Por dos razones. La primera, porque ayer mataron a Alexis Arayán. La segunda, porque nos han dicho que ustedes eran muy buenos amigos.

El pintor trató de levantarse, pero desistió. Era evidente que le faltaba un plan de acción, o quizás estaba verdaderamente sorprendido.

—¿Que lo mataron?

—Anoche, en el Bosque de La Habana. Asfixiado.

El pintor miró hacia el interior de la casa, como si temiera alguna presencia inesperada. El Conde se montó sobre la mirada de Salvador y entonces se le ocurrió una pregunta, pero decidió esperar.

—¿De verdad quiere hablar aquí? —insistió Manolo.

—Sí, sí, ¿por qué no?... Así que lo mataron. Pero, ¿yo qué tengo que ver con eso?

Manuel Palacios se permitió una sonrisa.

—Mire, Salvador, esto es muy delicado, pero hay gente que comenta que la amistad de ustedes era algo más que una amistad.

Ahora sí se puso de pie, ofendidísimo, con sus brazos musculosos en tensión.

—¿Qué usted está diciendo?

Lo que he oído decir. ¿Quiere que se lo diga más claro? Pues se dice que usted y él mantenían relaciones homosexuales.

Todavía de pie, el pintor trató de sobreponerse al desastre:

—No le permito...

—Está bien, no lo permita, pero vaya a la calle y grítelo en público, a ver qué le dicen.

Salvador pareció pensarlo y no le gustó la idea. Sus músculos empezaron a perder vapor y regresó a la inferioridad del asiento.

—Son los envidiosos. Los chismes, las malas lenguas, los frustrados...

—Claro, debe ser eso... Pero es que Alexis apareció muerto vestido de mujer —dijo Manuel Palacios y sin darle tiempo a Salvador, dobló por un recodo de la conversación—. ¿Cuándo lo vio por última vez?

—Ayer por la mañana, en el Fondo. Llevé unos cuadros para venderlos. ¿Estaba vestido de mujer?

—¿Y de qué hablaron? Trate de recordar.

—De los cuadros. A él no le gustaron mucho. El era así, se metía en lo que no le importaba. A lo mejor por eso lo mataron.

—Y de esas relaciones de ustedes, ¿qué me dice?

—Que eso es una calumnia. Que venga alguien y me diga en mi cara que me vio...

—Eso es más difícil, tiene razón. ¿Entonces lo niega?

—Claro que lo niego —dijo, y pareció más seguro.

—¿Cuál es su grupo sanguíneo, Salvador?

La seguridad se le esfumó otra vez. El Conde le apuntó una raya al sargento Palacios. El nunca hubiera hecho en ese momento aquella pregunta, sino la otra que le rondaba en la cabeza. Definitivamente, Manuel Palacios era mejor.

—No sé, la verdad —dijo, y en realidad parecía despistado.

—No se preocupe, lo podemos averiguar en el policlínico. ¿Cuál es el que le corresponde a usted?

—El de Diecisiete y J, el que está en esa esquina.

—¿Y no lo vio por la noche?

—Ya le dije que no. ¿Pero qué tiene que ver mi sangre?

—¿Y dónde estuvo usted ayer por la noche, entre las ocho y las doce?

—Pintando, en el estudio que tengo en Veintiuno y Dieciocho. Oiga, yo no sé nada...

—Ah... ¿y quién lo vio allí?

Salvador miró al suelo, como buscando un punto de apoyo que se le escapaba constantemente. Su miedo y su confusión eran tan visibles como sus músculos.

—No sé, ¿quién me puede haber visto? No sé, allí yo trabajo solo, pero llegué como a las seis y trabajé hasta las doce, más o menos.

—Y nadie lo vio. ¡Qué mala suerte!

—Es un garaje —intentó explicar—, está fuera del edificio, y si no hay nadie parqueando al lado...

—Veintiuno y Dieciocho está muy cerca del Bosque de La Habana, ¿verdad?

El hombre no respondió.

—Oiga, Salvador —intervino entonces el Conde. Pensó que era un buen momento para mover un poco la dirección del diálogo—. ¿Qué significa la K?

—Bueno, mi apellido es Kindelán, por eso firmo K.

—Previsible. Otra cosa que hace rato quiero preguntarle.

Es que veo aquí reproducciones de cuadros famosos, pero ninguna obra suya. ¿Eso no es raro?

El pintor sonrió, al fin. Parecía volver a terreno seguro y respiró sonoramente.

—¿Usted nunca ha oído la anécdota de los amigos de Picasso que van a su casa a comer y no ven en todo el lugar un solo cuadro de Picasso? Pues uno le pregunta, intrigado: Oiga, maestro, ¿y por qué no tiene aquí ninguna obra suya? Y entonces Picasso le dice: No puedo darme ese lujo. Los Picassos son demasiado caros...

El Conde imitó una sonrisa, para acompañar a la de Salvador.

—Ya entiendo, ya entiendo... Déjeme preguntarle algo más. Me han dicho que Alexis era católico. ¿Usted sabe si iba a la iglesia?

—Sí, creo que sí.

—Y ayer, cuando usted lo vio, u otro día, ¿le habló algo de la fiesta de la Transfiguración?

El pintor bajó la vista, para hacer evidente su esfuerzo por recordar. El Conde supo que pensaba cuál podía ser la mejor respuesta.

—No sé, no me suena. Pero sí me acuerdo de que ayer tenía una Biblia en el buró... ¿Y eso qué tiene que ver?

—No, es pura curiosidad de policía... Otra cosa, Salvador, ¿por qué usted cree que Alexis se vistió de mujer anoche?

—Y yo qué sé... ¿Por qué tengo que saberlo? Ya le dije que son chismes...

—Claro, claro, usted no tiene que saberlo. Bueno, está bien por hoy —dijo entonces el Conde, como si estuviera muy fatigado, y el más sorprendido con aquel desenlace fue el sargento. El Conde lanzó una queja cansada mientras se ponía de pie, y miró a los ojos del pintor—. Pero vamos a volver, Salvador, y métase esto en la cabeza: procure estar limpiecito, porque le veo unas cuantas papeletas para ganarse la rifa. Buenas tardes.

Con las últimas protestas del pintor salieron a la calle y montaron en el auto. El sargento Manuel Palacios arrancó dando un giro brusco y dobló en la primera esquina.

—Así que la transfiguración... ¿Por qué nos fuimos, Conde? ¿Tú no viste cómo lo tenía?

El Conde encendió un cigarro y bajó la ventanilla.

—Dale suave, dale suave —le exigió al sargento y agregó—: ¿Qué tú querías, que el hombre te dijera que sí, que es un bugarrón que se aprovechaba del otro para vender todas sus piezas y que anoche lo mató porque Alexis le dijo que sus cuadros eran una mierda? No jodas, Manolo, le sacaste lo que había que sacarle y ya no daba más... Ahora que verifiquen lo de la sangre y que lo investiguen en el Fondo y en el estudio ese que tiene en Veintiuno y Dieciocho, a ver si alguien lo vio anoche. Di en la Central que te den un par de gentes, mejor si son Crespo y el Greco, y déjame a mí en la casa, que tengo que leer un libro. Tú acuéstate temprano, que mañana vamos a ver a Faustino Arayán y como a diez personas más... ¿Y quieres que te diga una cosa? Tú eres mejor policía que yo... Lástima que estés tan flaco y que a veces te pongas bizco.

El Conde se dio cuenta de que leía en función de la máscara tras la que se ocultó Alexis Arayán, su travesti más cercano, y buscando no sólo las razones de un misterio, sino de una certeza: sus deseos de volver a hablar con Alberto Marqués. Cada párrafo del libro se convertía entonces en un argumento para el posible duelo verbal con el Marqués, en una idea para elevarse a su altura y equilibrar el diálogo con un conocimiento de causa que le permitiera acercarse al centro de aquella historia sórdida que al fin empezaba a atraerlo del modo que él prefería: como un desafío inteligente a su abulia y sus prejuicios. Como policía, Mario Conde tenía el mal hábito de las ideas fijas y de la búsqueda, en cada caso, de sus propias obsesiones. Y la historia de aquel travesti muerto (y tal vez simbólicamente transfigurado en una efeméride significativa) poseía todos los condimentos capaces de atraerlo y arrastrarlo, hasta el fin. Por eso el rostro de falsa mujer de Alexis Arayán se le dibujaba a cada instante como complemento gráfico de aquel tratado del transformismo y la autocreación corporal que había escrito el Recio, gracias al cual varias cosas iban quedando claras para el Conde: el travestismo era algo más esencial y biológico que el simple acto mariconeril y exhibicionista de salir a la calle vestido de mujer, como él siempre lo había pensado desde su machismo barriotero y visceral. Aunque nunca lo había convencido del todo, por cierto, la actitud primaria del travesti que cambia su físico para ligar mejor. ¿Ligar a quién? Los hombres-hombres, heterosexuales, con pelo en el pecho y peste a grajo, nunca se enredarían conscientemente con un travesti: se acostarían con una hembra, y no con aquella versión limitada de la mujer, con la entrada más apetitosa definitivamente clausurada por la caprichosa lotería de la naturaleza. Un homosexual pasivo, por su parte, preferiría a uno de aquellos hombres-hombres, porque para algo eran homosexuales y pasivos. Y un homosexual activo, oculto tras una apariencia impenetrable de hombre-hombre —vulgo: bugarrón; cultismo arcaico: bujarrón—, no necesitaba de aquella exageración a veces grosera para sentir el despertar de sus instintos sodomizantes y penetrar *per angostam viam*.

El libro trataba de dar explicaciones filosóficas a aquella contradicción: el problema, creía entender el Conde, no era ser, sino parecer; no era el acto, sino la representación; ni siquiera era el fin, sino el medio como su propio fin: la máscara por el placer de la máscara, el ocultamiento como verdad suprema. Por eso le pareció lógica la identificación del travestimiento humano y del camuflaje animal, no ya para cazar o para defenderse, sino para ejecutar uno de los sueños eternamente perseguidos por el hombre: la desaparición. Porque no era probable, definitivamente, que la transformación morfológica tuviera como único sentido la captación del macho-presa, como la de ciertos insectos que varían su aspecto para simular el de flores atractivas y amadas por otros que, confundidos, caen en la trampa mortal; tampoco que el disfraz se propusiera engañar, como ciertos insectos de físico agresivo, cuya apariencia impone temor a posibles atacantes. Era, por el contrario, aquella voluntad de enmascararse y confundirse, la de negar la negación y sumarse a la tribu común de las mujeres, la que tal vez guiara un transformismo que, en tantas ocasiones, podía resultar grotesco.

Pero si la difuminación era la última razón del travestimiento, los resultados prácticos del ejercicio tenían cifras en el mundo animal que podían equipararse —haciendo más y más comparaciones— con el destino triste de esos travestis siempre descubiertos a pesar de todos sus esfuerzos: una nuez de Adán inevitable, unas manos crecidas por designio natural, una pelvis estrecha, ajena a cualquier atisbo de maternidad... El libro citaba un estudio, realizado durante cuarenta y siete años, que demostraba cómo en el estómago de los pájaros había tantas víctimas mimetizadas como no mimetizadas, según las proporciones advertidas en la región. Entonces, ¿el disfraz era inútil, vulnerable y no daba garantías de seguridad? Y el Recio concluía, citando ahora a alguien que debía de saber más que él, que el travesti confirma sólo «que existe en el mundo vivo una ley de disfrazamiento puro, una práctica que consiste en hacerse pasar por otro, claramente probada, indiscutible, y que no puede reducirse a ninguna necesidad biológica derivada de la competencia entre las especies o de la selección natural». Y entonces, ¿a qué coño se debía? ¿Todo aquello para decir que se trataba de un simple juego de apariencias? No, claro que no podía ser. Pero ¿sería totalmente casual el que un travesti católico, que además no es travesti, se transformara el día exacto que la liturgia señala como la fecha de la Transfiguración? Tampoco puede ser, tiene que haber sido una casualidad, eso es demasiado elaborado, pensaba el Conde cuando cerró el libro y miró por la ventana desde la que se veía el viejo castillo inglés, de piedras blancas y tejas rojas traídas desde Chicago, que se alzaba frente a las canteras, en la colina más prominente del barrio. De pronto se había acordado del pobre Luisito el Indio, el único mariconcito convicto y confeso de su generación, allí en el barrio. Recordó que Luisito era una especie de apestado para los mataperros jugadores de pelota, quimbumbia y burro veintiuno entre los que se crió el Conde. Nadie lo quería, nadie lo aceptaba y, más de una vez, entre varios de ellos habían apedreado a Luisito hasta que su madre, la mulata Domitila, había salido, escoba en mano, a su rescate, cagándose en las madres, los padres y toda la ascendencia de los agresores. Eran actitudes crueles, nombretes sucesivos —Luisita, el primero y más durable; Luisito el Pato; Culo de Goma (a propósito de sus nalgas abundantes, ya predestinadas a ciertos usos y abusos); o La Flor de la Canela, debido a aquel color aindiado de su piel—, desprecios constantes y marginación histórica y culturalmente decretada desde siempre: quién lo manda a ser tan maricón, decían ellos, y también las otras madres, que enseñaban a sus hijos a no andar con aquel niño distinto, invertido y perverso, enfermo del mal más abominable que se pudiera imaginar. Sin embargo, el Conde llegó a saber que algunos de los que lo apedreaban y lo vituperaban en público, ciertas noches propicias habían tenido la segunda escala de su iniciación sexual en el culo promiscuo de Luisito: después de experimentar con las chivas y las puercas, habían probado el boquete oscuro de Luisito, en los boquetes más oscuros de los túneles de la cantera. Y como ninguno de ellos admitió jamás que también hubiera besos y caricias complementarias para elevar las temperaturas (tú ves: eso sí es mariconería, se argumentaba con seriedad cuando se hablaba del caso), para todos los que lo hicieron, la relación con Luisito había sido aceptada como una prueba de hombría alcanzada a punta de pene... Luisito sí; ellos no: como si la homosexualidad sólo se definiera por una aceptación de la carne ajena similar a la recepción femenina. Después, cuando empezaron a tener novias y dejaron de jugar todos los días pelota y al burro veintiuno en las esquinas del barrio, se olvidaron de Luisito, y Luisito se olvidó de ellos: entonces el muchacho empezó a circular por La Rampa y El Prado, en compañía de otros invertidos tan jóvenes como él, en bandadas que se movían lentas y displicentes, como patos de La Florida, en busca de lagos propicios donde revolcarse, hasta que, en 1980, gracias a su indiscutible condición de homosexual y, por tanto, de escoria, antisocial y excluible, se le permitió abordar tranquilamente una lancha en el puerto del Mariel y salir hacia Estados Unidos. La última noticia que el Conde había tenido de Luisito el Indio fueron dos fotografías que circularon por el barrio, donde se describía un antes y un después, como los de Charles Atlas: en una se le veía sentado en un sofá brillante, mariconísimo —ambos: Luisito y el sofá, rosa perla—, con las cejas delineadas y una mata de pelo altísima; en la otra, sentado en el mismo sofá, había una mulata, algo gorda y bastante fea, quien no era otra que Louise Indira, la mujer en la cual, quirúrgicamente, se había convertido el único maricón reconocido de su generación, allí en el barrio. Y el Conde se preguntó si alguna vez Luisito el Indio habría tenido fundamentos filosóficos o siconaturales para sostener su homosexualidad, primero, y para llevar a cabo su transfiguración irreversible, después. ¿O no sería, simplemente, que desde niño había sentido aquella afición irreprimible por vestirse con batas de cintas y jugar con muñecas, que después derivaría hacia la obsesión por meterse cosas en el culo?

El Conde se alejó de la ventana y de sus recuerdos cuando sintió el llamado selvático de sus tripas enardecidas por la inactividad. Estaba cayendo la tarde y salvo dos pescados oscuros y de mala espina, refugiados en el fondo del congelador, no había otras provisiones comestibles en su casa. Miró el reloj: eran las siete y cuarenta y cinco, y entonces marcó un número de teléfono.

—Jose, soy yo.

—Claro que eres tú, Condesito.

—Vieja, tengo hambre.

—¿Y me llamas a esta hora? Tú siempre haces lo mismo... Pero creo que te salvaste, porque hoy me compliqué buscando unas cositas ahí, y empecé más tarde. Deja ver qué se me ocurre.

—Haz cualquier cosa.

—Cállate, que estoy pensando. Es que tengo frijoles colorados en la candela y estaba escogiendo el arroz... Bueno, ven para acá, que tengo una idea.

—Bandeja paisa —anunció Josefina, y sus ojos brillaron con el orgullo y la satisfacción que debió de tener la mirada de Arquímedes poco antes de salir de la bañadera. El Flaco Carlos y el Conde, como dos alumnos poco aventajados, oían la explicación de la mujer: dejarse sorprender era parte del rito: lo imposible se haría posible, lo soñado se transformaría en realidad, y entonces el anhelo cubano por la comida desbordaría de pronto cualquier frontera de la realidad pautada por cuotas, libretas y ausencias irremediables, gracias al acto mágico que sólo Josefina era capaz de provocar y estaba provocando.

—Mi tío Marcelo, que ustedes saben que fue marinero, se enamoró una vez en Cartagena de Indias y vivió varios años en Colombia. Pero la mujer era paisa, como ellos le dicen a los de Medellín, y le enseñó a hacer la bandeja paisa, que dice Marcelo, o decía, que en paz descanse, el pobre, que es el plato típico de los paisas. Entonces, como ya tenía frijoles colorados en la candela, cuando tú llamaste me puse a pensar y se me ocurrió: claro, bandeja paisa, y ahí mismo, cuando los frijoles empezaron a cuajar, les eché dentro media libra de picadillo, para que la carne se termine de cocinar con el potaje, ¿me entienden? Y entonces freí unos chicharrones de puerco bien gordos, con su carnita, unos plátanos maduros, un huevo para cada uno de ustedes, a mí a esta hora no me asienta el huevo, por lo de la vesícula, un chorizo y un bistec de carne de res, con bastante ajo y cebolla, y cociné el arroz blanco con un poco más de manteca de puerco para que se desgrane bien. Los frijoles se pueden comer aparte o echárselos por arriba al arroz. ¿Cómo les gusta más?

—De las dos formas —dijeron a dúo, y el Conde se ubicó detrás de la silla de ruedas de Carlos. Siguiendo las huellas de la madre del Flaco avanzaron hacia el comedor, con la seriedad con que se visita los lugares muy, muy sagrados.

—Jose —le dijo el Conde a la mujer, mientras tragaba cucharadas de los frijoles con carne—, me salvaste la vida.

—Vieja —dijo Carlos, y extendió una mano para acariciar la de su madre—: partiste el bate. Esto está de tolete... Me voy a hacer paisa, te lo juro.

—Lo malo es que nada más tengo seis cervezas...

Mientras comían, el Conde debió contar lo de la suspensión temporal de su castigo y del nuevo caso en que estaba trabajando. Era otro ritual necesario que el policía hiciera aquellas historias al Flaco y a Josefina, armando una trama de capítulos diarios, hasta llegar al desenlace.

—Pero todo eso es horrible, Condesito.

—Entonces el tipo, digo la tipa, ¿ni pataleó ni tiró un piñazo ni nada? Oye, eso yo no me lo creo, tú.

—Y ese pintor, con mujer y todo, qué horror. En mi época no se veían esas cosas... Lo que sí no entiendo es por qué has metido al pobre Jesucristo en una historia tan fea.

El Conde sonrió, mientras se chupaba los dedos, chorreados por la manteca de los chicharrones. Se limpió con el pañuelo y encendió un cigarro, después de beber un goloso trago de su segunda cerveza.

—Oye, Flaco —habló al fin—, ¿tú todavía tienes guardado el ejemplar aquel de *La Viboreña?*

—Claro que sí.

—Me hace falta que me lo prestes.

—Está bien, pero lo lees aquí.

—No jodas, déjame llevármelo.

—Ni loco, tú. Si tú lo habías botado y yo lo recogí.

—Te juro por tu madre que lo voy a cuidar —prometió el Conde, sonriendo y armando una cruz con los dedos, y Josefina también sonrió, porque la alegría visible de aquel hijo inválido desde hacía diez años, y la de aquel otro hombre atormentado y siempre hambriento que también era como su hijo, significaban la única cuota de felicidad que le iba quedando en un mundo donde las vesículas dejaban de funcionar y donde se veía cada cosa que daba horror. La felicidad parecía ser algo del pasado, cuando su hijo y el Conde se encerraban por las tardes a estudiar y a oír música, y ella confiaba en que un día la casa se le llenaría de nietos y Carlos colgaría de la pared de la sala su título de ingeniero, y el Conde le regalaría su primer libro, y todo sería consecuente y apacible, como debe ser la vida. Pero ni la certeza de su equivocación impidió que siguiera sonriendo cuando dijo:

—Voy a hacer el café —y salió.

—Oye, Conde, hoy por la tarde me llamó Andrés. Me preguntó por ti.

—¿Y ése en qué anda?

—Dice que está complicado en el hospital, pero que mañana pasa por aquí a hablar conmigo.

—Entonces dile de mi parte que compre un litro y venga a vernos una de estas noches, ¿no?

El policía terminó de vaciar su segunda cerveza y miró hacia la oscuridad que había más allá de la ventana. Su estómago, su cuerpo y su mente respiraban aliviados y tuvo la sensación de que sus músculos y su cerebro se distendían, perdían electricidad, y que estaba al borde de aquellos momentos de confidencias y sentimentalismo que solía tener con el Flaco Carlos, allí en su casa. Todos los escudos, corazas, cascos y hasta máscaras con que debía andar por el mundo —como cualquier insecto perseguido— caían al suelo, y una ligereza espiritual, necesaria y ansiada, sustituía los miedos, las precauciones y las mentiras de uso diario, tan recurridas como aquel *blue-jean* cotidiano que pedía a gritos un baño de urgencia. Y entonces dijo:

—No se me va de la cabeza la historia de la Transfiguración... ¿Sabes que todavía me acuerdo de cuando la oí contar por primera vez? Además, Flaco, no sé, creo que me están entrando ganas de escribir.

—¡Coño! —exclamó Carlos, y golpeó la mesa con una de sus manos de superpesado—. ¿Qué pasó? ¿Te enamoraste otra vez?

—¡Ojalá!

—¡Ojalá! —repitió el otro, que entonces miró con ojos incrédulos su botella de cerveza: ¿cómo coño se le habría vaciado? Y el Conde esperó tranquilamente la proposición que le faltaba escuchar—. Salvaje, ve a comprar un litro de ron, que eso sí hay que festejarlo.

—Veintiocho años —calculó el Conde.

Lo dijo en voz alta para tratar de creerlo, utilizó los dedos mientras volvía a sacar la cuenta groseramente abultada, que podía amontonar tantos, tantos años, y empezó a admitirlo cuando sintió que lo embargaba la ansiedad de lo irrecuperable. Entonces el tiempo se le hizo una sensación ríspida y localizable, como un dolor que se expandía desde el estómago y empezaba a oprimirle el pecho: junto a él estaba su madre, con un breve pañuelo blanco sobre el pelo tan negro y aquel vestido de hilo —¿de hilo?—, crujiente por las aguas de yuca macerada en que lo sumergía antes de someterlo al rigor de la plancha, y recuperó para sus dedos el tacto antagónico de la baba suave y azulosa del almidón y la severidad final de la tela ya planchada, como la sintió unos minutos antes de entrar en la iglesia, mientras su madre le daba aquel abrazo que su hijo jamás podría olvidar. Vas a ser un santo, le dijo ella, eres mi niño lindo, le dijo, y la pureza blanca de las telas que los envolvían aquella mañana de domingo traspasó sus poros y tocó su alma: Soy puro, pensó, mientras avanzaba hacia la primera fila de bancos para escuchar la misa que diría el padre Mendoza y recibir, al fin, aquella pastilla crecida y de sabor milenario que debía cambiar su vida: al caer sobre su lengua pertenecería definitivamente a un clan privilegiado: los que tenían derecho a la salvación, pensó, y se volvió para mirarla, y ella le son-

81

rió, tan hermosa con su pañuelo y su vestido blanco de hacía veintiocho años.

El padre Mendoza saltó del altar del recuerdo a la puerta de la realidad que por dos veces había tocado el Conde. Aunque sus relaciones espirituales nunca habían vuelto a reanudarse después de aquel remoto domingo de pureza jamás recuperada, el cura y el disidente habían mantenido siempre una relación afable, en la que el clérigo insistía en calificar al Conde de místico sin fe y éste en decir que el padre Mendoza era un viejo ladino, capaz de hacer cualquier cosa por ganar —o recuperar— a un creyente. Durante esos años, sin embargo, los diálogos entre ellos siempre habían ocurrido en plena calle, fruto de encuentros casuales, pues el Conde nunca había vuelto a visitar la iglesia del barrio ni la casa contigua donde vivía el padre y en la que había sido instruido en el catecismo necesario para acceder a la comunión con lo sagrado y lo eterno.

—Dios mío, ¿será un milagro? —dijo el padre Mendoza cuando sus ojos todavía enrojecidos por el sueño y nublados por los años le permitieron recolocar en su mente la imagen del visitante matutino.

—Ya no ocurren milagros, padre. ¿Cómo está usted?

El cura sonrió, mientras le cedía el paso hacia la sala de la casa.

—Siempre ocurren milagros. Y yo estoy hecho una ruina, ¿o es que tú tampoco ves?

—Veo, pero no es para tanto. Los dos nos ponemos viejos a la misma velocidad.

—Pero yo te llevo como cuarenta años de ventaja. ¿Y qué te pasa? ¿Vienes por fin a confesar tus múltiples pecados?

El Conde ocupó el sofá de madera y pajilla, pues no había olvidado que el balance de altísimo respaldo era la única propiedad terrenal que el cura defendía con vehemencia de mercader. El padre Mendoza, como siempre, se acomodó en su sillón y empezó a mecerse con un ritmo frenético.

—No se embulle, padre: aquella decisión era para siempre.

—Ese es tu mayor pecado, Condesito: la arrogancia. Y el otro, yo lo sé bien, es que te tienes miedo a ti mismo... Sabes que algún día caerás...

—No esté tan seguro, padre. ¿Sabe cuántos años hacía que no entraba aquí?

—Veintiocho —dijo el cura como si no necesitara pensarlo, y el Conde sospechó que había lanzado una cifra y por casualidad cayó en el número marcado.

—Justamente veintiocho, pero no haga milagros baratos.

El cura sonrió otra vez.

—No te asustes, que no me acuerdo por ti... El día de tu comunión murió mi padre. Lo supe diez minutos antes de decir misa. Fue la peor misa de mi vida, o la mejor, todavía no sé. Y también fue la última vez que tuve una duda sobre la bondad de Dios.

—¿Y por qué ese día habló de la Transfiguración?

El cura casi cerró los ojos, como si necesitara mirar hacia dentro.

—No soy el único que se acuerda de ese día, ¿no?

—No —admitió el Conde.

—Espérate, déjame brindarte café. Y déjame decirte que no le brindo café a todo el mundo. Imagínate, aquí vienen a verme como veinte personas todos los días, y todavía no he aprendido el milagro de multiplicar los sobrecitos de café que me dan por la libreta...

El padre Mendoza saltó del sillón como expulsado por el balanceo y el Conde sintió en el alma aquella sensación de vitalidad que despedía el viejo párroco. Observó entonces la sala de la casa, las paredes de madera con varias escenas del vía crucis —allí estaban todas las caídas— y la estatua brillante de san Rafael Arcángel, réplica exacta de la que había en la iglesia, bajo la cual se sentaban —veintiocho años antes— los muchachos asistentes al catecismo para escuchar las lecciones de la señorita Mercedes y el padre

Mendoza. Del carajo, pensó cuando el cura regresó con una taza de café, que su estómago, devastado por el alcohol y la falta de sueño, agradeció piadosamente.

—¿Todavía fumas? —le preguntó al Conde, que asintió—. Pues regálame uno, que hoy me voy a permitir ese placer.

El Conde sacó dos cigarros de su cajetilla y acercó el mechero al del cura y luego al suyo. Al mismo tiempo los dos expulsaron el humo, que los envolvió en una nube común.

—Quiero hablar con usted de la Transfiguración. Me pasó algo que me recordó ese pasaje, pero estoy suspenso en historia bíblica.

El cura, que había recuperado la velocidad del balanceo, contempló su cigarro antes de hablar.

—Ya sabía yo que querías utilizarme... ¿Sabes por qué aquel día dije en la misa el pasaje de la Transfiguración?

El Conde, con los ojos cansados de perseguir el péndulo que marcaba la cara del padre, miró hacia el cuadro que representaba la llegada al monte Calvario.

—¿De verdad quiere que adivine?

—Disculpa, es que me estoy volviendo un viejo estúpido, que hace preguntas estúpidas... Lo hice porque me sentía muy mal, y en ese pasaje, cuando Dios se le aparece a los apóstoles, Jesús comprende como pocas veces el alma humana y les dice a sus discípulos: «Levantaos, no tengáis miedo»... Y no todo el mundo es capaz de entender las dimensiones del miedo. Y aquel día, como comprenderás, yo le tuve mucho miedo a la muerte.

«Seis días después, toma Jesús a Pedro, a Santiago y a su hermano Juan y los sube a un monte alto, a solas. Y se transfiguró delante de ellos: su rostro brilló como el sol y sus vestidos quedaron blancos como la luz. Y se les aparecieron Moisés y Elías hablando con él. Entonces Pedro dijo a Jesús: "Señor, bueno será quedarnos aquí: si quieres yo haré aquí tres tiendas, una para ti, otra para Moisés y otra para Elías". Cuando aún estaba hablando, una nube luminosa los cubrió, y se oyó una voz desde la nube que decía: "Este es mi hijo, el predilecto, en quien me he complacido: escuchadle". Al oír esto los discípulos cayeron sobre su rostro, presos de gran temor. Se acercó a ellos Jesús y, tocándoles, dijo: "Levantaos, no tengáis miedo". Y cuando alzaron los ojos no vieron a nadie, sino a Jesús solo.

»Al bajar del monte, Jesús les hizo este encargo: "A ninguno digáis esta visión hasta que el Hijo del Hombre resucite de entre los muertos".»

Este es el capítulo diecisiete de Mateo. Marcos y Lucas también cuentan la Transfiguración, y, oye esto qué interesante, Marcos la vio así: «Sus vestidos se pusieron resplandecientes y muy blancos, como no los puede blanquear ningún batanero de la tierra».

Mira, Conde, los estudiosos dicen que esto ocurrió en el monte Tabor, que está a unos setenta kilómetros de Cesarea de Filipo. Es un monte raro, que sobresale más de trescientos metros sobre la llanura de Esdrelón, y reina en solitario, como si hubiera brotado de la tierra o hubiera caído del cielo. En la meseta del monte los bizantinos levantaron una basílica con dos capillas, que varios siglos después fue reconstruida por los cruzados, que se la confiaron a los benedictinos. Después de las cruzadas, los musulmanes la transformaron en fortaleza en el año 1212. Lo último que sé es que en 1924 se consagró la basílica actual, que tiene un frontón central con dos torres laterales.

Pero lo importante de todo esto es que en el monte Tabor ocurrió la primera revelación pública del carácter divino de Jesús, reconocido por su padre y presentado como el Mesías. Por eso los discípulos vieron cómo el aspecto de Jesús, que debía de venir sucio del largo camino recorrido por el mar y el desierto, se transformó profundamente: su ropa, su piel, su pelo brillaron, pero en realidad todo era fruto de una claridad interior necesaria para recibir la revelación del padre. Entonces es cuando se manifiesta la grandeza de Jesús: siendo quien es, presentado como ser divino, no pierde su humanidad y comprende el miedo de sus seguidores, que han sido testigos de algo que los supera infinitamente. ¿Y sabes por qué? Porque creo que Jesús presintió su propio miedo cuando les habla de cómo va a realizarse su obra: su gloria estará en una resurrección, pero antes debía pasar por el sufrimiento y el sacrificio que le esperan en la cruz, que era la prueba necesaria para que se produjera ese milagro mayor. Desgarrador y hermoso, ¿verdad? Y si El tuvo miedo, y comprendió entonces qué cosa es el miedo, ¿por qué nosotros vamos a renegar de un sentimiento tan humano? Tal vez el más humano de todos, Conde.

Las antípodas, pensó el Conde, dispuesto ya a olvidarse de transfiguraciones bíblicas demasiado alejadas de un travestimiento sórdido y terrenal, mientras observaba otra vez la casa de Faustino Arayán y la comparaba con la gruta húmeda y oscura donde vivía Alberto Marqués y de la que había salido, en su última incursión nocturna, el travestido Alexis. Entre aquellos dos espacios vitales existía un abismo, insalvable y sin puentes posibles, de estratos establecidos, intereses creados, méritos reconocidos u olvidados, favores pedidos o concedidos, oportunidades aprovechadas o no, que los alejaban y los distinguían, como la luz y las tinieblas, la pobreza y la opulencia, el dolor y la alegría. Sin embargo, con su vida y su muerte Alexis Arayán había fundido aquellos extremos de su origen y su destino, tendiendo un lazo improbable.

Desde que el carro enfiló por la Séptima Avenida de Miramar, bajo el sol todavía benévolo de aquella mañana de agosto, el Conde sintió que se adentraba en otro mundo, de rostro más amable y mucho mejor lavado que el de la otra ciudad —la misma ciudad— que acababan de atravesar. Y ahora, ante la casa de Faustino Arayán, concluía su idea: las antípodas, cuando pensó que los dueños originales de esa mansión fastuosa y de cristales todavía invictos, con seguridad también pretendieron marcar una drástica diferencia entre dos mundos, el mejor de los cuales —sin duda para ellos— quisieron magnificar en la construcción de la casa: la recurrente pretensión burguesa de la permanencia... Tal vez en Miami, en Union City o donde carajos estuvieran ahora —si es que aún estaban, treinta años después—, todavía debían de añorar la belleza precisa de aquella edificación en la que invirtieron sueños y dineros a manos llenas, creyendo que lo hacían para siempre. Pero la gente suele equivocarse, se dijo el Conde, mientras avanzaba en el laberinto de su mente desatada y pensaba que, si él viviera en una casa como ésta, le gustaría tener tres perros corriendo por el jardín. ¿Y quién recogería la mierda?, se preguntó, alzando un pie de la imaginación para no pisar deyecciones perrunas, y decidió prescindir de la jauría y dedicar el tiempo —esto sí era irrenunciable— a cuidar la biblioteca que tendría en el segundo piso, justo sobre el jardín.

En el viaje el Conde también había conocido, por boca del sargento Palacios, un par de noticias demasiado inquietantes: la sangre de Salvador K. era AB, como la del asesino, y nadie por los alrededores del estudio de 21 y 18 lo había visto en la noche del crimen, aunque más de una vez lo vieron entrar allí con Alexis Arayán. Por la cuenta del Conde, con esas otras dos papeletas, de seguro se ganaba la rifa en que lo había puesto a concursar.

Manuel Palacios tocó el timbre y la criada abrió la puerta.

—Pasen —dijo, sin dar los buenos días, y les indicó los butacones de la sala—. Enseguida le aviso a Faustino —y desapareció con sus pisadas de fantasma.

El Conde y Manolo se miraron, sonrieron y se dispusieron a esperar. Diez minutos después, apareció Faustino Arayán.

Vestía una guayabera tan blanca y tan fina que el Conde no se hubiera atrevido a llevarla ni un minuto: era resplandeciente, más que blanca, de alforzas tenues, adornadas con hilos brillantes y con su marca de origen discreta pero visiblemente grabada en el bolsillo superior derecho. El pantalón, de un gris perlado, exhibía la raya precisa de un planchado experto, mientras los mocasines, de una piel negra y glaseada, parecían cómodos y leves.

—Buenos días —dijo, extendiendo la mano: era una mano fuerte, sólida y rosada, como toda la figura de su propietario, cuyo único síntoma de haber llegado a los sesenta era la calvicie casi total que marcaba la redondez, también brillante, advirtió el Conde, de su enorme cabeza.

—Nos da pena molestarlo hoy, compañero Arayán. Sabemos que ayer fue un mal día para usted, pero...

—No se preocupen, no se preocupen...

—Teniente Mario Conde —se presentó, y señalando hacia su compañero, dijo—: y el sargento Manuel Palacios.

—Le decía, teniente, que no se preocupe. Es su trabajo, y hasta yo mismo tengo que ir hoy al mío, porque la vida sigue andando...

—Gracias —dijo el Conde y observó el cenicero de Granada, otra vez limpio, como si nunca se hubiera usado.

—Un momento, voy a pedir un cafecito, ¿eh? —dijo Faustino Arayán y, sin esperar respuesta, susurró—: María Antonia.

La negra se hizo como la luz, con una bandeja en las manos y tres tazas de café, como si hubiera aguardado el disparo tras la línea de arrancada. Flota la muy cabrona, se convenció el Conde, que fue el primero en ser servido. Al concluir la repartición, la mujer dejó la bandeja sobre la mesa y voló bajito hacia el interior de la casa.

—¿Puedo fumar?

—Sí, cómo no. ¿Le gustaría un tabaco? Tengo unos excelentes Montecristos.

El Conde lo pensó: no, no debía, pero se atrevió. Total, se dijo.

—Le aceptaría uno, pero para fumarlo más tarde.

—Cómo no —dijo el anfitrión y, del piso inferior de la mesa de centro, le extendió al Conde una caja de cedro en la que dormían, en perfecta formación, una docena de Montecristos de capa pálida y olor promisorio.

—Gracias —dijo otra vez el Conde y guardó el tabaco en el bolsillo de su camisa.

—Bueno, teniente, ustedes dirán.

Sólo entonces el Conde comprendió que no tenía nada que decir o que había olvidado lo que pensaba decir: tanto brillo lo había encandilado y no veía bien qué camino tomar. Había regresado a aquel lugar por cumplir una rutina y esa casa de orden perfecto, de guayaberas y calvas deslumbrantes, de criadas negras con alas en los tobillos y de ceniceros de Granada sin una molécula de polvo, no parecían tener ninguna relación con la historia escatológica de un maricón estrangulado y con dos monedas en el culo, después de haberse exhibido por las calles de la ciudad con un vestido teatral que terminaría manchado de efluvios mayores y menores —como hubiera dicho Alberto Marqués.

—¿Cómo está su esposa? —dijo entonces, buscando un sendero para entrar en el tema.

Faustino movió insistentemente la cabeza.

—Muy mal. Ayer, cuando regresamos del entierro, el doctor Pérez Flores, bueno, les digo el nombre porque todo el mundo lo conoce, Jorge, le recetó unos calmantes y unos hipotensores. Ahora está durmiendo. La pobre no se resigna, pero yo sabía que un día ese muchacho nos iba a dar un disgusto, y miren en lo que paró todo —el hombre hizo una pausa y el Conde decidió no interrumpirlo—. Quién sabe en qué historia estaba metido ahora. Desde muchacho Alexis nos está dando dolores de cabeza. No sólo por su... problema, sino por su carácter. A veces hasta he llegado a pensar que nos tenía odio, a mí y a su madre, y era despótico, sobre todo con ella. Siempre le echó en cara que estuviéramos tanto tiempo fuera de Cuba y que él tuviera que quedarse aquí con María Antonia y con mi suegra. El nunca quiso entender que mi trabajo no me permitía hacer otra cosa. El no podía estar con nosotros, ¿dónde iba a estudiar?, por ejemplo. Seis meses en Londres, tres en Bruselas, un año en Nueva York, luego de regreso a Cuba... ¿Se imaginan ustedes? Yo hubiera querido darle una vida más estable, haberlo criado nosotros mismos, y les aseguro que lo hubiera tenido así, en un puño, pero en mi trabajo siempre me han dado tareas importantes y mi mujer y yo siempre nos ocupamos de que él tuviera todo lo necesario: la casa, su abuela, y María Antonia, que lo quería como si fuera su propia madre, la escuela, las comodidades que quisiera... todo. Si esto parece un castigo... Voy a confesarles algo, para que me entiendan mejor: mi hijo y yo nunca nos comprendimos. Creo que sobre todo fue culpa mía, que nunca cedí, aunque al principio hablé mucho con él, traté de ayudarlo. Ahora pienso que fue peor. Y miren lo que pasó, cómo ha terminado todo esto. Yo me siento culpable, no lo niego, pero él también se portó muy mal conmigo y con su madre, desde que era un muchacho. Y después, cuando se hizo amigo de ese tipejo, el Alberto Marqués ese, ya fue imposible entenderse con él. Ese hombre le lavó el cerebro, le metió todo su veneno en la cabeza, lo cambió para siempre y en todo: no es que le diera por escribir teatro y gastar cartulinas queriendo ser pintor. No, es algo peor. Era su conducta moral y hasta política, y eso sí que yo no lo podía permitir, ¿ustedes me entienden? Mi prestigio de tantos años de lucha, de trabajo, de sacrificio, no lo iba a manchar ni Alexis ni nadie, hasta que dicté bien claro mis reglas de juego: para vivir bajo este techo y tener todas las comodidades que poco a poco uno ha podido ir ganándose, no se podía pensar así de ciertas cosas del país, ni estar criticándolo todo ni comiendo mierda en una iglesia ni andando con un resentido como el Alberto Marqués... Aquí tenía que ser o todo o nada, y así se lo dije un día, porque él ya no era un niño, y entonces se puso furioso, yo quisiera que ustedes lo hubieran visto, y las cosas que me dijo, que si yo era un dogmático y un extremista y un cavernícola y no sé cuantas cosas más... Y ahí fue cuando dijo que se iba de la casa. Sé que a cada rato venía a ver a su madre y a María Antonia, después que murió la abuela, y si yo llegaba él se iba, y yo casi que me alegraba, porque no quería volver a discutir con él. Esas discusiones me afectaban mucho, ¿me entienden?... Ahora lo lamento, claro, tal vez hubiera podido hacer algo más por Alexis, obligarlo a seguir yendo al médico, ser más drástico con él, no sé qué, pero él no me dio esa posibilidad —dijo, y se inclinó hacia la caja de tabacos. Tomó uno, pero inmediatamente lo abandonó, como si de repente le pareciera inadecuada la posibilidad de dar fuego a aquellos hermosos Montecristos.

—Faustino, ¿usted o su esposa tienen alguna idea de lo que pudo haber pasado la otra noche?

El dueño de la casa se miró las manos, como si allí hubiera una verdad, y enfrentó la mirada del Conde.

—¿Qué voy a decirle, teniente? Todo eso fue el resultado de una elección equivocada... Alexis escogió su camino y mire cómo terminó. Lo que le digo, es como un castigo... Si se me cae la cara de vergüenza nada más que de pensarlo. Disfrazado de mujer... ¿Quiere que le diga una cosa? —el Conde asintió, como alumno expectante—. Ni su madre ni yo nos merecíamos pasar por esto. Lo único que quiero es que pase el tiempo a ver si nos despertamos de esta pesadilla. Claro que ustedes me entienden...

—Claro —afirmó el Conde y se miró sus propias manos, en busca, quizá, de otra verdad, también posible.

—Es una vergüenza —repitió Faustino, y el Conde lo miró a los ojos por primera vez en toda la conversación: descubrió dos pupilas húmedas, en las que creyó advertir un dolor verdadero y unas lágrimas que tal vez su sentido de la hombría le impedía derramar. Aunque era difícil, tratándose de un hombre tan poderoso y seguro de sí mismo, el policía se sorprendió pensando que podía llegar a tenerle lástima.

—Faustino, quizás usted no sepa nada de esto. Por su relación con Alexis, digo... Pero quizá su esposa, no sé. Pregúntele, por favor, si oyó hablar a Alexis algo del día de la Transfiguración. Es que me interesa el asunto, aunque no pueda explicarle por qué. Es una idea que no se me quita de la cabeza...

Mario Conde empezó a sentir cierto alivio cuando el carro cruzó el túnel del río y avanzó por el Malecón, hacia el centro de la ciudad. El mar tenía la facultad de apaciguarlo, provocándole aquella fascinación que siempre lo envolvía. Y esa mañana el mar era una invitación al sosiego: azul y apacible, como la brisa que entraba por las ventanillas.

—¿Qué te pareció, Manolo? —le preguntó al fin al sargento, y encendió un cigarro.

El sargento Manuel Palacios tomó la senda derecha y disminuyó un poco la velocidad.

—Es difícil para él. Por lo menos debe de estar en boca de medio cuerpo diplomático, ¿no?... Pero, ¿quieres que te diga algo? Me parece que de alguna manera se alegra. Es como cuando un enfermo de cáncer se muere: si no hay remedio, lo mejor es terminar rápido.

—Sí, puede ser —admitió el Conde, sin saber exactamente qué era lo que podía ser.

—¿Y ahora? —preguntó Manuel Palacios, dispuesto a aumentar la velocidad.

—No sé bien... Salvador K. parece el dueño del paquete, ¿verdad?, pero también es verdad que no tenemos nada definitivo contra él... Me cago en mi estampa —dijo, y lanzó el cigarro hacia la calle.

—Conde, Conde —Manolo movía la cabeza, como si no pudiera creerlo—: a estas alturas y todavía te pones así. No jodas, si hace falta buscar algo para envolver al pintor, pues vamos a buscarlo, ¿no?

—No hables así. Por lo menos hoy no hables así.

—¿Y eso por qué?

—Porque estoy preocupado. ¿Ya pudiste averiguar lo que pasó con Maruchi?

El sargento disminuyó un poco más la velocidad.

—No, no he sabido nada... Pero esta mañana no te conté otra cosa que pasó ayer. Me citaron para hoy a las tres los de Investigaciones Internas...

—Y esa gente, ¿qué cosa es lo que quiere contigo?

Manuel Palacios movió la cabeza y el Conde observó que se secaba el sudor de las manos en el pantalón.

—No sé, de verdad que no sé.

El Conde miró hacia la calle, cada vez más llena de baches, los latones desbordados de basura, las casas carcomidas por el salitre y la desidia.

—Si no tienes ningún lío, no te preocupes, pero ten cuidado con lo que dices, ¿está bien? Tú no eres comemierda, Manolo, así que piensa cada respuesta... Pero no cojas barrenillo con eso, debe de ser alguna bobería.

—Está bien, Conde. Qué calor, ¿no?

En el Malecón, a esa hora limpia de la mañana, se congregaban los pescadores con la magra esperanza de que la suerte les pusiera en el anzuelo un lindo ejemplar, capaz de darle una justificada alegría a la mesa familiar. Al ver aquellas siluetas sobre el mar en calma, el Conde los envidió. Sabía que era más saludable para la vida estar allí, con el cordel en el agua y la mente ocupada sólo en el pez posible y en la comida soñada, y no en sucesivas historias de muertes, robos, desfalcos, violaciones, agresiones mayores y menores —que también podían salvarlo de morir de tedio, pensó— y, para colmo, pesquisas de Investigaciones Internas que parecían destinadas a sacar a la luz historias que el Conde ni se imaginaba y que ya le habían costado sus puestos a varios de sus compañeros. ¿Me sacarán algo a mí?, pensó y trató de recordar algún acto punible en su carrera. Quién sabe... ¿Y Maruchi?, ¿qué coño habrá pasado con ella?

—Qué mierda, ¿no? —dijo. Y agregó—: Vira ahí en la esquina, quiero ir al Bosque de La Habana.

Sin carros de patrullas, ambulancias con prisa fingida, el indecente cordón de curiosos, los fotógrafos, forenses y policías convocados por la muerte, aquella floresta de fantasías, en medio de la ciudad y junto al río sucio, exhalaba una armonía que el Conde trató de respirar por cada poro, en una apropiación golosa y urgente. La violencia y aquel sitio le parecían ahora tan ajenos que su propia presencia en el lugar le resultaba vejatoria e incongruente, y, como siempre, pensaba en la facultad insana de la muerte para alterarlo todo. Aquellas hierbas tan verdes, el rumor infatigable del río, la sombra bondadosa de los árboles, habían sido, apenas unas horas antes, el decorado del escenario macabro de un asesinato de cuya prehistoria y posthistoria trataba de apoderarse el policía, con aquella manía tan poco profesional de empezar a sentirse implicado. Por eso estaba ahora frente al sitio, para otros anónimo —nunca se elevaría allí un arrogante túmulo funerario al primer travesti cubano muerto en combate sexual—, donde había terminado la vida de Alexis Arayán y había empezado el trabajo escatológico de Mario Conde. La muerte se había convertido entonces en un suceso social, más que en un drástico hecho biológico que ninguna ciencia exacta, médica, natural o sobrenatural podría ya revocar: importaba ahora sólo como delito, como posible castigo al transgresor de una ley, ya establecida desde la Biblia y el Talmud, y el Conde sabía que su misión en el mundo terminaría con la victoria pírrica de una acusación, necesaria y esperada, pero incapaz también de reparar lo verdaderamente irreparable.

—¿En qué piensas? —Manuel Palacios arrancó una brizna de hierba y se la llevó a la boca.

—En el bosque y las fieras —respondió el teniente y avanzó hacia el río—. Este travesti no se vistió para exhibirse ni para salir a cazar, Manolo. Estaba buscando algo más difícil de encontrar. La paz, tal vez. O la venganza, qué sé yo... Si él no era un travesti, ¿qué buscaba aquí, totalmente travestido y precisamente la noche del día de la Transfiguración? Cada vez esto me suena más raro...

—Lo que no sé es por qué tienes que complicarlo todo. ¿Por qué siempre quieres ver lo que nadie ve?... A ti es al que le está pasando algo raro, Conde. Y voy a decirte una cosa: a veces pienso que ya no te interesa ser policía.

—Eres un genio, Manolo.

Los policías siguieron el sendero que bajaba hacia el cauce del río, que era una serpiente lenta, decididamente enferma. El Conde se acercó a la orilla y lamentó la agonía adelantada que vislumbró: estelas de petróleo, espumas ácidas, animales reventados, desechos innombrables corrían con el agua lenta del Almendares, el único río verdadero de la ciudad. Y entonces lo presintió:

—Claro, coño, pero si Alexis tenía una Biblia.

—Ah, de nuevo por aquí, señor policía teniente Mario Conde. Cuénteme, porque seguro ya saben quién fue. Yo a veces veo esos episodios donde los policías enseguida lo averiguan todo, ¿verdad? Pero qué buenos son los policías...

El Conde se sacudió aquella burla gruesa y entró en la sala, tan oscura y tan fresca como el día anterior, y recuperó su sillón, mientras Alberto Marqués ocupaba el suyo. Sintió que ambos se desplazaban con la premeditación de dos actores conscientes de sus movimientos escénicos.

—¿Le brindo un té? Se lo puedo dar bien frío, con hielitos y todo...

—Sí, creo que me vendría bien —aceptó el Conde, y el Marqués se perdió por el corredor que estaba al fondo del peculiar escenario montado en aquella sala oscura. Ahora, al verlo caminar, el policía advirtió que el dramaturgo tenía una incongruente pisada de jovencito: se movía con una elástica ligereza, apoyando en el piso sólo la punta del pie, que lo impulsaba paso a paso, como un conejo o una grulla con prisa. No parece tan viejo, pensó el Conde, pero su mente derivó hacia la entrevista que le esperaba esa tarde al sargento Palacios. ¿Qué coño querrían saber? Una leve pero molesta sensación de miedo se instaló en su estómago. La experiencia le gritaba que con una investigación incisiva era posible encontrar evidencias molestas, certezas delicadas, sospechas improbables pero irrebatibles, y por eso había empezado a preguntarse, ¿qué coño querrían saber?, mientras decidía regresar a la casa del Marqués, apremiado por la necesidad de saber más: necesitaba registrar ahora las pertenencias de Alexis, en busca de un presentimiento. Mientras, Manolo debía indagar en el Fondo de Bienes Culturales sobre el travesti y su lamentable amigo, Salvador K, y buscar allí la Biblia que les había mencionado el pintor. Pero, ¿qué coño querrían saber?, se preguntaba otra vez cuando el Marqués regresó con sus pasos de grulla joven y sendas tazas en las manos. Le entregó una al Conde y volvió a su sillón.

—¿Quiere que abra la ventana?

—Si no le molesta...

El dramaturgo dejó su taza en el suelo y abrió la ventana que daba a sus espaldas. Todos los altísimos ventanales de la sala tenían rejas y el Conde sintió curiosidad por saber cómo harían los amantes alquilados de que le hablara Miki para tomar por asalto aquella casa. Cuando el Marqués regresó al sillón, el Conde comprendió que todo había sido nuevamente preparado: el sol, en perfecto contraluz, sólo le dejaba ver la silueta del hombre. Me estaba esperando, pensó.

—Bueno, no me martirice más... ¿Ya saben algo? —y pestañeó insistentemente.

—No mucho, la verdad... Pero hay varias cosas extrañas en esta historia. A Alexis lo asfixiaron sin que se resistiera.

—Ay, por Dios —exclamó en voz muy baja el viejo dramaturgo, al tiempo que se tocaba el cuello, como para evitar la llegada de unas manos asfixiantes.

—Y después de muerto, el asesino le metió dos monedas en el ano.

—Ay, ay, ay —repitió el dramaturgo y cerró las piernas, como para evitar posibles penetraciones monetarias.

—¿Alguna vez oyó hablar de algo así?

—No, nunca jamás... Eso parece cosa de películas de la mafia.

—Sí, más o menos... La otra cosa que hice ayer fue leer un poco el libro que me prestó y aprendí varias cosas sobre los travestis.

—Interesante, ¿no?

—Sí, pero tal vez demasiado conceptual. ¿De verdad los travestis tienen toda esa filosofía del mimetismo y de la difuminación?

A pesar del intenso contraluz, el Conde creyó ver que el Marqués estaba sonriendo.

Ninguna otra ciudad del mundo —ni La Habana— puede revelar el milagro de la armonía como lo hace París. En París la tarde y la noche se funden como una sinfonía cautelosa, el amanecer parece una consecuencia necesaria, tímida pero irrevocable, y si el espíritu del hombre puede penetrar por ósmosis esa sensibilidad del aire, las piedras, los olores de París y sus colores, vivir en esa ciudad puede ser un regalo de los dioses: y así lo sentía yo, aquella primavera.

Bañados y perfumados subimos al taxi y durante el viaje no dejaron de sudarme las manos, mientras mis ojos recibían por dos veces la silueta iluminada de la Torre Eiffel, la estructura del Teatro de la Opera, la alegría iluminada del Café de la Paix, hasta que remontamos unas callecitas adoquinadas —de aquellos adoquines que se hicieron célebres el año anterior, cuando el amor, la inteligencia y la ideología copularon revolucionariamente tras las barricadas hechas con aquellos mismos adoquines—, esas calles sinuosas del Barrio Latino, y nos detuvimos ante un local con un neón amarillo que anunciaba: LES FEMMES como pórtico y meta de una ansiada realización. El Recio pagó y habló algo con el taxista —un marroquí, que le entregó un pequeño sobre—, mientras el Otro Muchacho y yo observábamos la apariencia ruinosa del lugar, cuando se abrió la puerta mullida, de resortes chirriantes, y tuvimos la primera visión del cabaret: un resplandor azul.

El Recio se acercó a nosotros y por primera vez en esa primavera de mi último viaje a París vi un brillo de felicidad en su cara redonda de campesino todavía mal pulido. Unos días antes, cuando llegué a París, él me había hablado del fin de su relación con Julien, el joven antropólogo con el que había vivido los dos últimos años en una permanente luna de miel —así podía decir el Recio, tan exquisito otras veces en sus imágenes poéticas— y que lo había dejado —humillándolo— por una mujer: nada más y nada menos que una bailarina rusa —cuerpo de baile, ni siquiera solista—, desertora del Bolshoi. La ideología interponiéndose en el amor, le dije entonces, y le pregunté: ¿aquella bailarina tendría peste en los sobacos y cara de Matrioska como casi todas las hermanas soviéticas? Qué asco las mujeres, dijimos a coro y el Recio tuvo que reírse...

Pero ahora, frente a aquel cabaret azul de letras amarillas, el Recio parecía recuperar sus deseos de vivir.

—Vamos —dijo y nos tomó del brazo (a mí del izquierdo, al Otro Muchacho del derecho), y entramos en el resplandor azul... La luz brotaba del piso y dibujaba las volutas de un humo demasiado dulce, incluso para cigarros de Virginia, que mezclaba sus efluvios hipnóticos con vahos de sudores acidulados y un incisivo perfume de esencias árabes de las que son vendidas al por mayor en los apócrifos mercados persas de París. Los oídos, mientras tanto, recibían el ritmo salvaje que imponía la voz de Miriam Makeeba (la invasión del Tercer Mundo), proyectada desde una cabina empotrada en la pared. Tuve una extraña sensación de miedo al descubrirme en el vórtice de aquella agresión de todos los sentidos, pero el Recio y el Otro parecían haber entrado en un sitio conocido, en el que se movían con toda naturalidad. Empecé a ver entonces unas falsas walkirias cumpliendo su ancestral función de escanciar cerveza. Parecían flotar sobre lo azul, como crisálidas fosforescentes y recién brotadas, luciendo organzas almidonadas y filosas faldas plisadas que exhibían como triunfo de un gusto retro. Cada walkiria llevaba una bandeja con copas en una mano y unas flores amarillas (¿amarillas?) en la otra. Miraba aquellas manos demasiado grandes incluso para una walkiria, incluso si original y escandinava, cuando una me rozó con el borde cortante de su saya y recibí la sensación de haber sido tocado por un insecto prehistórico.

Aturdido, agradecí que el Recio me empujara hacia una mesa, donde ya estaba sentado el Otro Muchacho, bebiendo un líquido ambarino que pronto descubrí que no era cerveza. ¿Cómo lo consiguió, con esa habilidad innata para siempre llegar primero? Entonces el *disc-jockey* cambió la voz de la Makeeba por la de Doris Day y descubrí que, como buen cabaret, Les Femmes tenía un escenario sobre el que se posaron —tienen que haberse posado— siete versiones perfectas —y hasta mejoradas— de Doris Day, que cantaban con la grabación para un público arrobado y respetuoso, en el que empecé a ver hombres y mujeres de cuya filiación dudé todo el tiempo: demasiadas rubias oxigenadas y opulentas en el mejor estilo Marilyn Monroe, trigueñas salidas del cine italiano de posguerra, negras de manos grandes, acromegálicas de labios metálicos como robots de cómics que regalaban besos a sus compañeros de mesa con la cadencia y la intensidad de la balada dorisdayana. Seguía anonadado cuando el Recio me invitó a ir al baño, mostrándome el sobre que le entregó el taxista. El sabía que yo no iría, y por eso no insistió, pero el Otro Muchacho sí fue con él... No es que yo fuera un puritano. Al contrario, debo de haber sido bastante atrevido en mi vida, lo he probado todo, pero siempre me ha resultado más útil mi lucidez natural, que aquel día, por cierto, estaba como de fiesta, advertida, expectante, queriendo deglutir cuanto llegaba a mis ojos. Y gracias a esa lucidez comprendí que había penetrado en un gigantesco *happening* de trasmutación, transformismo y máscaras, menos famoso pero más intenso y real que un carnaval veneciano. Haber pensado en crisálidas y haber sentido el roce de un insecto gigantesco me dio la clave de lo que estaba viviendo, viendo: una fiesta de insectos. Recuerdo que pensé, entre aquellos travestis adelantados, pioneros esforzados del movimiento, que el hombre puede crear, pintar, inventar o recrear colores y formas de los que dispone desde su exterior, y llevarlos a la tela, que está más allá de su cuerpo, pero que es incapaz e impotente para modificar su propio organismo. Sólo el travesti llega a transformarlo radicalmente y, como la mariposa, puede pintarse a sí mismo, hacer de su cuerpo el soporte de su obra máxima, convertir sus emanaciones sexuales en color, a través de los aturdidores arabescos y los tintes incandescentes de un ornamento físico. Es una autoplástica esencial, aunque esas obras, infinitamente repetidas —siete Doris Day, cuatro Marilyn Monroe, tres Ana Magnani en veinte metros cuadrados— no puedan evitar, en el mejor de los casos, una fría y nostálgica perfección. Lo más inquietante fue comprender que todo eso era la consumación del teatro consciente que se ha soñado desde los días de Pericles: la máscara hecha personaje, el personaje tallado sobre el físico y el alma del actor, la vida como representación visceral de lo soñado... Aquello era como una iluminación que hubiera estado esperándome desde siempre, agazapada en ese sucio rincón de París, y en unos minutos ya tuve planeada y montada en mi mente la solución que andaba buscando para mi versión de *Electra Garrigó*... Lo que jamás pude imaginar fue que aquella idea genial iba a ser el principio de mi último acto como director teatral. El fin como principio sin medios...

Entonces, cuando fui a contarle al Recio aquella revelación, descubrí que él y el Otro Muchacho habían desaparecido, no sé con cuál de aquellos insectos pervertidos. Lo más simpático fue que al día siguiente me acusaron a mí de haberme evaporado del brazo de una Sara Montiel. De todas formas le conté al Recio lo que había sentido allí, y el muy ingrato ni siquiera me dio crédito en su libro sobre los travestis, y todavía creo que soy capaz de poner entre comillas los párrafos que le dicté en aquella conversación... Y por cierto, como no tenía dinero suficiente, tuve que regresar a la casa caminando, pues jamás me hubiera ido con una Sara Montiel, porque la verdad, nunca he soportado a la Saritísima.

—Esto es de Salvador K, ¿verdad?

—Sí, él firma así, SK. Qué mal gusto... Parece una medicina, ¿no?

—Una cerveza.

El Marqués lo había conducido a la habitación de Alexis Arayán, que resultó ser el antiguo cuarto de criados de la residencia. Tenía un pequeño baño independiente, y se

101

podía acceder a la habitación sin entrar en la casa principal. Allí todo parecía conservar un orden preciso, como si su dueño lo hubiera dispuesto con especial esmero antes de salir, dos días antes: los estantes organizados, los cuadros desempolvados, la ropa limpia y colgada en el pequeño armario, dos calzoncillos lavados y ya secos, en la ventana del baño, los ceniceros sin colillas. El Conde se dedicó a observar los libros, dejando correr un dedo envidioso por los lomos de diversas dimensiones y texturas, entre los que descubrió algunos títulos apetecibles.

—¿Alexis fumaba?

—No, si le tenía asco al cigarro. Sobre todo al tabaco.

—¿Qué le parece este dibujo de Salvador K?

El dibujo, enmarcado y acristalado, representaba algo así como una cabeza de mujer bajo una sombrilla. Los ángulos eran cortantes y los colores agresivos.

—El emplea una viejísima técnica de calar el papel y armar así las figuras. Sería como un grabado en papel, más o menos, o una especie de *collage*, aunque él se jactaba de haber descubierto el agua tibia. Y ese dibujo es una mierda, cubanamente hablando, como diría el Recio. Esa figuración ya la agotaron los expresionistas y los cubistas, hace sesenta años, y antes significó algo, pero ahora...

—¿Y usted está seguro de que ellos tenían relaciones?

Ahora el Conde sí vio que el Marqués sonreía.

—Las paredes de este cuarto casi son de papel. Si quiere salga, que yo voy a dar un gritico, y me dirá...

—No hace falta, no hace falta... —el Conde trató de espantar la imagen de lo que le proponía el Marqués—. Alexis tenía esto muy limpio...

—Era un escrupuloso, yo se lo decía. Y lo peor es que quería convertirme a mí, pero siempre fracasó. Además, una vez a la semana venía por aquí María Antonia, una señora que trabaja como criada en la casa de sus padres, y lo ayudaba a lavar y a limpiar, y a veces nos dejaba comida preparada para varios días. ¿Sabe una cosa? Ella también se robaba algunas cositas ricas de la casa de Alexis y nos traía: unos choricitos españoles, salmón ahumado, un par de colas de langosta, de esas cosas que nada más quedan en la imaginación y en las diplotiendas, ¿me entiende?

—¿Qué más sabe usted de María Antonia? Esa mujer tiene algo así...

El Marqués trató en vano de peinar con los dedos los restos de su cabellera.

—Me va a tener que perdonar, pero ayer le dije una mentira... Quien me llamó para decirme lo de Alexis fue María Antonia. ¿Me disculpa? Es que ella me advirtió que usted vendría a verme.

El Conde prefirió obviar cualquier reproche.

—¿Qué le contaba Alexis de María Antonia y de su familia?

El Marqués se sentó en el borde de la cama, perfectamente tendida, y acomodó entre sus piernas los pliegues del batón chino.

—Desde que se murió su abuela él pensaba irse de allí. Alexis la quería mucho, porque entre ella y María Antonia lo habían criado a él... Y esto que le voy a decir le parecerá increíble, pero es totalmente cierto: ya usted sabe que Alexis era un erudito en pintura italiana del Prerrenacimiento. Pues María Antonia sabe de ese tema tanto como él. Sí, así mismo. Alexis estudiaba con ella, le prestaba sus libros, y le fue enseñando lo que aprendía. Si puede y le interesa, alguna vez hable con ella de las Madonas italianas y sobre todo del Giotto, y prepárese a oír una notable disertación... Al que Alexis no soportaba era al padre, por mil cosas, pero creo que sobre todo porque una vez, cuando él tenía como siete años, estuvo a punto de ahogarse en la playa, y fue otra persona la que lo sacó del mar, porque el padre estaba borracho. Y Alexis nunca lo perdonó y hasta decía que el padre lo había dejado para que se ahogara... No sé de qué griego será ese complejo... Además, su padre lo odiaba por ser, bueno, por ser maricón. Cada vez que podía, le hacía evidente que lo despreciaba. Imagínese usted, para un hombre tan respetable eso era la peor desgracia... Pero debe de haber sido Dios quien lo castigó con esa vergüenza. Ya usted sabe: esos hombres que tienen hijos que van a ser como ellos, fuertes, mujeriegos, temibles y, de pronto... le sale homosexual. Pero Alexis sufría mucho, sufría por todo, y si no lo hubieran matado, yo habría dicho que se suicidó.

—¿Alexis le hablaba del suicidio?

El Marqués se puso de pie y señaló hacia uno de los estantes.

—Mire esto: Mishima, Zweig, Hemingway, mi pobre amigo Calvert Casey, Pavese... Sentía cierta fascinación por el suicidio y los suicidas, absolutamente enfermiza, por supuesto. Se la pasaba diciendo que todo en su vida era un error: su sexo, su inteligencia, su familia, su tiempo, y decía que si uno era consciente de esas equivocaciones, el suicidio podía ser la solución: tal vez así tendría una segunda oportunidad. Creo que esa mística fue una de las cosas que lo llevó a hacerse católico.

—¿Iba a la iglesia?

—Sí, bastante.

—¿Y usted? —preguntó el Conde, dejándose atrapar por la curiosidad.

—¿Yo? —sonrió el Marqués, y movió sus párpados—. ¿Me puede imaginar a mí, a mí, orando en un reclinatorio?... No, qué va, soy demasiado perverso para entenderme con esos señores... Es más, los prefiero a ustedes...

El Conde observó la sonrisa justamente perversa del Marqués, y decidió darle el gusto, porque de algún modo él también se lo daba. Se aseguró el paracaídas y se lanzó al Mar de los Sarcasmos.

—¿Le tiene odio a los policías?

La risa del Marqués fue auténtica e inesperada. Su cuerpo apergaminado pareció de pronto un papalote listo para salir volando, por la ventana más próxima, empujado por los hipidos que lo sacudían.

—No, hijo, no. Ustedes no son los peores. Mire, los policías hacen trabajo de policías, interrogan y meten presa a la gente, y hasta lo hacen bien, la verdad. Es una vocación represiva y cruel, para la que se necesitan ciertas aptitudes, y usted me perdona. Como, por ejemplo, estar dispuesto a golpear a otra persona para que obedezca, o a anularle la personalidad a través del miedo y la amenaza... Pero son socialmente imprescindibles, tristemente imprescindibles.

—¿Y entonces?

—Los jodidos son los otros: los policías por cuenta propia, los comisarios voluntarios, los perseguidores espontáneos, los delatores sin sueldo, los jueces por afición, todos esos que se creen dueños de la vida, del destino y hasta de la pureza moral, cultural y hasta histórica de un país... Esos fueron los que quisieron acabar con gentes como yo, o como el pobre Virgilio, y lo consiguieron, usted lo sabe. Acuérdese que en sus últimos diez años Virgilio no volvió a ver editado un libro suyo, ni una obra de teatro representada, ni un estudio sobre su trabajo publicado en ninguna de estas seis provincias mágicas que de pronto se convirtieron en catorce y un municipio especial. Y a mí me convirtieron en un fantasma culpable de mi talento, de mi obra, de mis gustos, de mis palabras. Todo yo era un tumor maligno que debían extirpar por el bien social, económico y político de esta hermosa isla en peso. ¿Se da cuenta? Y como era tan fácil parametrarme: cada vez que me medían por algún lado, siempre el resultado era el mismo: no sirve, no sirve, no sirve...

El Conde recordó otra vez la reunión en la oficina del director del Pre, donde les informaron que *La Viboreña* era una revista inapropiada, inoportuna e inadmisible y les exigieron una retractación, literaria e ideológica.

—¿Cómo le dijeron todo eso? —quiso saber entonces, con cierto sadismo historicista y arriesgándose a cualquier agresión de cuchillos infectos de ironía y resentimiento.

—Desde hace unos años he logrado que hasta me guste

contar esta historia. Ahora ya casi no me hace daño, ¿sabe? Pero antes... ¿Y por qué a usted le interesa tanto todo eso?

—Es pura curiosidad —propuso el Conde, incapaz de confesar sus verdaderas razones—. Me gustaría saber su versión, ¿no?

—Bueno, pues lo voy a complacer. Ya habían suspendido de cartelera los espectáculos que estábamos presentando mientras yo ensayaba *Electra Garrigó*, y nos citaron un día en el teatro. Todo el mundo fue, menos yo. No estaba dispuesto a escuchar lo que al fin sabía que iba a tener que escuchar. Pero después me contaron que reunieron a la gente en el vestíbulo y los fueron llamando uno a uno, como en la consulta de un dentista. ¿Sabe lo que es esperar tres o cuatro horas para entrar al gabinete de un dentista, oyendo el taladro y los gritos de los que van entrando? Dentro habían puesto una mesa sobre el escenario, donde había quedado parte de la escenografía de *Yerma*, con su ambiente luctuoso, lleno de telas negras... Ellos eran cuatro, como una especie de tribunal inquisidor, y sobre la mesa habían puesto una de esas grabadoras grandotas de cintas, y le iban diciendo a la gente sus pecados y preguntándoles si estaban dispuestos a revisar su actitud en el futuro, si estaban de acuerdo con iniciar un proceso de rehabilitación, trabajando en los lugares en que se decidiera. Y casi todo el mundo admitió que era pecador, incluso hasta agregaban culpas que los acusadores no habían mencionado, y aceptaban la necesidad de aquella purga purificadora que limpiaría su pasado y su espíritu de lastres intelectualoides y seudocriticistas... Y yo los entendí, la verdad, porque muchos pensaron que había razón para aquellas acusaciones y hasta se sentían culpables de no haber hecho cosas que se decía que debían haber hecho, y se convertían en los más feroces críticos... de sí mismos. Después organizaron una especie de asamblea: los protagonistas siguieron tras la mesa, en el escenario, y la gente del grupo en las lunetas, con todas las luces encendidas... ¿Usted ha visto un teatro con las luces encendidas? ¿Ha visto cómo pierde la magia y todo ese mundo creado parece falso, sin sentido? Y entonces hablaron de mí, como el principal responsable de la línea estética de aquel teatro. La primera acusación que me hicieron fue la de ser un homosexual que exhibía su condición, y advirtieron que para ellos estaba claro el carácter antisocial y patológico de la homosexualidad y que debía quedar más claro aún el acuerdo ya tomado de rechazar y no admitir esas manifestaciones de blandenguería ni su propagación en una sociedad como la nuestra. Que ellos estaban facultados para impedir que la «calidad artística» (y me insistieron en que el que hablaba abrió y cerró comillas, mientras sonreía), sirviera de pretexto para hacer circular impunemente ciertas ideas y modas que corrompían a nuestra abnegada juventud. (Por cierto, el que hablaba siempre fue un mediocre que trató de ser actor y nunca pasó de figurante, y su fama en el medio nada más se debía a que la tenía así de chiquita, y por eso le llamaban *Croquetica.*) Y que tampoco se permitiría que reconocidos homosexuales como yo tuvieran alguna influencia que incidiera sobre la formación de nuestra juventud y que por eso se iba a analizar (dijo «cuidadosamente», las comillas ahora son mías) la presencia de los homosexuales en los organismos culturales, y que se reubicaría a todos los que no debían tener contacto alguno con la juventud y que no se les permitiría salir del país en delegaciones que representaran el arte cubano, porque no éramos ni podíamos ser los verdaderos representantes del arte cubano.

˙ El Marqués suspiró, como para expulsar un gran cansancio, y Mario Conde sintió que despertaba de un largo sueño: tras las palabras del dramaturgo había entrado en aquel teatro de la crueldad y escuchado las palabras de los protagonistas, mientras lo envolvía la densidad de aquella tragedia real en la que se decidían destinos y vidas con una tranquilidad que provocaba espanto.

—Nunca me imaginé que hubiera sido así. Yo creí...

—No crea nada todavía —saltó el Marqués, con una agresividad verbal que sorprendió al policía—. ¿Usted quería oír el cuento? Pues voy a seguir con el cuento, porque falta lo mejor... Sí, porque entonces vino el juicio estético: se dijo que mis obras y mis montajes sólo pretendían convertir el esnobismo, la extravangancia, el homosexualismo y otras aberraciones sociales en materia estética única, que me había desviado del camino de las aspiraciones más puras con toda aquella filosofía de la crueldad, el absurdo y el teatro total y que no se me iba a permitir esa «arrogancia señorial» (otra vez suyas, porque era una utilísima cita textual) de atribuirme el papel de crítico exclusivo de la sociedad y la historia cubanas, mientras abandonaba el escenario de las luchas verdaderas y utilizaba a los pueblos latinoamericanos como temas para creaciones que los convertían en favoritos de los teatros burgueses y las editoriales del imperialismo... No sé muy bien qué quería decir aquello, pero fue eso lo que dijo, palabra por palabra, y dijo también que mi persona, mi ejemplo y mi obra eran, como todos sabían, incompatibles con la nueva realidad... Y al fin empezó la votación. Se pidió que levantaran la mano los que estaban de acuerdo con que el artista debía participar en la lucha por criticar severamente los horrores del pasado y contribuir con su obra a la erradicación de los vestigios de la vieja sociedad que aún subsistían en el período de la construcción del socialismo. Votación unánime. Se votó contra las manifestaciones de elitismo, blandenguería, hipercriticismo, evasionismo y rezagos pequeñoburgueses en el arte, y otra vez fue unánime. Y se votó por todo lo que se podía votar, siempre con total unanimidad, hasta que se puso a votación mi permanencia en el grupo de teatro, el mismo grupo que yo fundé, al que le di un nombre y toda mi vida, y de los veintiséis presentes, veinticuatro alzaron la mano, pidiendo mi expulsión, y dos, sólo dos, no pudieron resistir aquello y salieron del teatro. Entonces se votó por la permanencia de aquellos dos y fueron expulsados por veinticuatro a favor y ninguno en contra... Por último vino el discurso final, leído por el que presidía la mesa, y que no había hablado hasta entonces, y como ya se podrá imaginar, apenas dijo nada nuevo: repitió que aquello era una lucha abierta contra el pasado, el imperialismo y los siervos de la burguesía, y a favor de un futuro mejor, en una sociedad donde el hombre no fuera el lobo del hombre. En fin: un mal cierre de espectáculo para la función histórica de aquella tarde de 1971, donde hubo hasta aplausos y gritos de júbilo... Y dejaron que el telón cayera sobre mi cuello...

Con la última frase del Marqués, el policía sintió que necesitaba con urgencia una dosis de nicotina. Tocó su cajetilla de cigarros y volvió a mirar la pulcritud del lugar, y decidió resistir la ansiedad de la abstinencia: quería tocar el fondo de aquella herida abierta que Alberto Marqués había accedido a mostrarle. ¿Todo eso había sucedido en el mismo país donde ellos dos vivían?

—¿Y quién le contó todo eso?

El Marqués sonrió y volvió a suspirar, cansinamente.

—Primero, los dos que vencieron su propio miedo y se levantaron con la penúltima votación. Luego, en unos meses, vinieron a verme uno tras otro los veinticuatro que se quedaron hasta el final... Y como a los diez años, me lo contó otra vez uno de los que estaba en el escenario y me pidió perdón por lo que había hecho. Pero yo no lo perdoné, por infame... A los otros sí, bueno, a casi todos, porque actuaron por miedo y yo sé lo que es el miedo, pero al infame, no... Por cierto, según me han dicho, el que hizo el discurso de clausura ahora es un notable perestroiko y solicitante de la *Glasnost* como necesidad social. ¿Qué le parece ese cambio de máscara?

El Conde lo miró a los ojos y volvió a sentir que estaba en el teatro, entre los acusados, envuelto por el miedo y la culpa, y se preguntó si él hubiera votado contra el Marqués. Y se dijo que ahora era muy fácil pensar que no y sentirse en condiciones de enarbolar la dignidad. Pero ¿y aquel día?

—Si creyera en Dios podría perdonar, ¿no?

—Tal vez por eso no quiero creer, señor policía...

El Conde sintió que no resistía un segundo más la necesidad de encender un cigarro. Le molestaba hacerlo en aquel sitio preciso, tan limpio, a cuyo último dueño seguramente le habría molestado, pero no pudo contenerse y decidió usar su propia mano como cenicero.

—Pero usted mismo dice que después cambiaron muchas cosas y hasta lo invitaron a trabajar de nuevo en el teatro, ¿no?

El Marqués se acomodó sobre el cráneo sus tres greñas displicentes. Ahora no sonreía.

—Sí, eso también es verdad, pero lo primero que pasó fue que varios expulsados de algunos grupos decidieron poner un proceso legal por lo que había sucedido y, extraña y justa justicia de mi país, ganaron el pleito en la Sala de Garantías Constitucionales del Tribunal Supremo y entonces los repusieron en sus grupos, les pagaron un salario, pero pasó bastante tiempo antes de que trabajaran otra vez, pues lo más sencillo del mundo es que un director decida libremente con quién desea trabajar, ¿verdad? Yo no, yo no quise ir a ningún juicio, ni entonces ni después ni ahora. Porque aquello no era un problema legal: era un juicio histórico, y tampoco acepté el salario: preferí ser bibliotecario que vivir de un estipendio que podía comprar mis decisiones. Por eso, cuando me pidieron que regresara, yo tampoco acepté, porque no estaba obligado a hacerlo. Algo que no se podía componer se había roto. Si volvía era por vanidad o por venganza, más que por necesidad de decir cosas, y eso enturbia el arte. Diez años son muchos años y me acostumbré al silencio y casi que aprendí a disfrutarlo, a que se hablara de mí en voz baja, a que de lejos me señalaran con un dedo. Además, nadie podía garantizarme que lo del año 71 no volvería a repetirse, ¿verdad?... Y yo no hubiera tenido fuerzas para cumplir una segunda condena, después de haber vuelto al espectáculo y a la exhibición.

Mario Conde sintió que había escuchado una declaración innecesaria. Hubiera preferido conservar la imagen de soberbia y valor que le creara Miki o la de petulancia provocadora y amoral que ofrecían los bien alimentados informes que le entregaran dos días antes sobre aquel hombre que debió de ser condenado en rebeldía. Incluso, prefería la sensación de ironía agresiva y burlona que le había dejado su primer encuentro con aquel Alberto Marqués que ahora confesaba su verdadera razón: el miedo.

—¿Y no es mejor olvidarse de todo eso?

El viejo dramaturgo sonrió y miró hacia el techo, como si esperara algo que tenía que caerle del cielo.

—Sabe, es muy fácil decir eso, porque la falta de memoria es una de las cualidades sicológicas de este país. Es su autodefensa y la defensa de mucha gente... Todo el mundo se olvida de todo y siempre se dice que se puede empezar de nuevo, y ya: está hecho el exorcismo. Si no hay memoria, no hay culpa, y si no hay culpa no hace falta siquiera el perdón, ¿ve cuál es la lógica? Y yo lo entiendo, claro que lo entiendo, porque esta isla tiene la misión histórica de estar recomenzando siempre, de volver a empezar cada treinta o cuarenta años, y el olvido suele ser el bálsamo para todas las heridas que quedan abiertas... Y no es que yo tenga que perdonar o quiera culpar a nadie: no, es que yo no quiero olvidar. No quiero. El tiempo pasa, pasan las gentes, cambian las historias, y creo que ya se han olvidado demasiadas cosas, buenas y malas. Pero las mías son mías y no me da la gana de olvidarlas. ¿Me entiende?

—Sí, también lo entiendo —dijo el Conde y salió al patio a lanzar la colilla y las cenizas acumuladas en su mano. Además, quería esquivar aquella senda tenebrosa de la conversación y retornar a su presentimiento—. ¿Usted sabe dónde Alexis ponía su Biblia?

El Marqués lo miró, con gesto aburrido, como si aquella insistencia policiaca le pareciera desatinada y enfermiza.

—No. ¿Usted revisó bien los estantes?

—Ahí no está, por eso le pregunto.

—Pues a mí, regístreme si quiere —propuso, y levantó los brazos y abocó al Conde al horror: la bata se le alzó casi a la altura de las rodillas, mientras los botones pugnaban por zafarse...

—No hace falta. Creo que ahora debo irme. Todavía me queda trabajo —se apresuró el Conde, y viendo que el Marqués seguía en su postura de detenido listo para el cacheo, no pudo dejar de reír—. Pero me gustaría volver a hablar con usted.

—Cuando quieras, príncipe —dijo el Marqués, y sólo entonces bajó los brazos.

—Una última pregunta, y perdóneme si soy indiscreto... ¿Qué sentía usted por Alexis Arayán?

El Marqués miró hacia la habitación vacía.

—Lástima. Sí. Era demasiado frágil para vivir en este mundo cruel. Y también lo quería.

—¿Y por qué se habría vestido con el traje de Electra Garrigó?

El Marqués pareció pensarlo, y el Conde se dispuso a escuchar algo que tal vez podría aclararle de un solo golpe toda aquella historia.

—Porque el vestido era precioso, y Alexis era maricón. ¿No le parece que es bastante?

—Pero si él no era travesti...

El Marqués sonrió, como si se diera por vencido.

—Ay, usted todavía no ha entendido nada.

—Eso me pasa últimamente: nunca entiendo nada.

—Mire, no lo tome como un atrevimiento, porque yo sé con quién puedo atreverme... Pero como lo veo tan interesado en el tema... ¿Quiere ir esta noche conmigo a una fiesta donde quizá pueda ver unos travestis y otras gentes así, de lo más interesante?

Colgado de la nostalgia, el Conde miraba el inalterable paisaje que se le ofrecía desde la ventana de su cubículo: copas de árboles, el campanario de una iglesia, los pisos altos de varios edificios, y la eterna y retadora promesa del mar, siempre al fondo, siempre inalcanzable, como la maldita circunstancia de tanta agua por todas partes de que hablara el poeta tan amigo del Marqués. Le gustaba aquel paisaje recortado por el marco de la ventana, tan bucólico y solícito, ahora difuso bajo la luz plana y calcinante de agosto, porque le permitía pensar y, sobre todo, recordar, y él sí era un cabrón recordador. Y ahora recordaba cuánto había querido dedicarse a la literatura y ser un verdadero escritor, en los días cada vez más lejanos del Pre y los primeros años de su inconclusa carrera universitaria. Sentía que Alberto Marqués, dueño de ciertos poderes mefistofélicos, le había alborotado aquella esperanza cíclica, de la que por momentos se creía definitivamente a salvo, pero que, otra vez, al menor contacto volvía a obsesionarlo como un virus recurrente del que en realidad nunca se había curado. Entonces Mario Conde sentía que aquel desgarramiento prematuro, por el que se había dejado vencer, tal vez sólo funcionara como un hábil pretexto de su conciencia para descargar sobre algún puerto ajeno una culpa que sólo era suya: nunca había vuelto a insistir seriamente, quizá porque la única verdad fuese su incapacidad para escribir algo (que fuera escuálido y conmovedor). Siempre había pensado que le gustaría escribir historias de gentes comunes, sin grandes pasiones ni notables aventuras, vidas pequeñas de esas que podían pasar por el mundo sin dejar una sola muesca en la faz de la tierra, pero que llevaban sobre las espaldas la carga impresionante de vivir cada día. Cuando pensaba en esas preferencias literarias, y leía a Salinger, los cuentos de Hemingway, ciertas novelas del XIX, y algunos textos de Sartre y Camus, todavía creía que sí, que era posible, que podía ser posible. ¿Necesidad exhibicionista?, se preguntó entonces, cuando tampoco sabía si debía arrepentirse del arranque de sinceridad que le hizo confesarle al dramaturgo aquella siempre postergada afición artística, tan inadecuada para alguien dedicado por oficio a la represión y no a la creación, a las verdades sórdidas y no a las fantasías sublimes... La sonrisa con hipidos, como única respuesta que le diera el Marqués mientras insistía en olfatear el perfume inexistente en una flor de buganvilla, le dolía ahora como una burla. Sin embargo, las historias de aquel personaje que insistía en rejonearlo, rebasaban los límites de cualquier prejuicio y ya no podía verlo como el maricón de mierda con el que fue a encontrarse apenas veinticuatro horas antes. Me cago en diez, se dijo, y oyó la puerta que se abría, para que se hiciera realidad la figura esperada del sargento Manuel Palacios.

—¿Por qué te demoraste tanto, viejo?

El sargento Palacios se dejó caer en su silla y el Conde temió que se desarmara. ¿Quién carajo lo habrá aceptado como policía? Debió de ser el mismo loco que me reclutó a mí.

—Déjame respirar. Otra vez se rompió el elevador.

El Conde miró nuevamente su paisaje con mar, y se despidió de él, hasta un próximo encuentro.

—Bueno, ¿qué pasó?

—Nada, Conde, que tuve que esperar al jefe de Alexis. Y creo que hice bien, porque esto se complica.

El sargento Manuel Palacios respiró a fondo antes de hablar.

—Alexis ya no estaba con Salvador K. El jefe suyo en el Fondo, un tal Alejandro Fleites, que también tiene tremenda pinta de maricón, dice que Alexis y Salvador se habían distanciado últimamente y que él vio a Alexis dos veces con un mulato que trabaja en el Instituto de Cine, uno que se llama Rigofredo López. Imagínate tú qué clase de tortilla... Y dice que le dijeron, tú sabes cómo son ellos, que Rigofredo y Salvador K. tuvieron una discusión en la oficina de Alexis. Conclusión de Fleites: celos. Entonces fui hasta el Instituto de Cine y averigüé que Rigofredo hace diez días que está en Venezuela... ¿Qué te parece ese gallinero revuelto?

El Conde ocupó su silla y sólo entonces preguntó:

—¿Y qué te dijo de Alexis?

—Poco nuevo... Que era un buen trabajador, que se llevaba muy bien con los pintores, que era una persona muy culta y que no se lo imaginaba vestido de rojo por el Bosque de La Habana. Y también que era un tipo acomplejado y muy tímido...

—¿Y la Biblia?

—¿La Biblia? Coño, la Biblia... —hizo una pausa larga, como si pensara en algo y al fin dijo—: Aquí está —y buscó en el maletín que había dejado en el suelo.

—Dámela, dámela —exigió el Conde, que buscó en el índice los libros de los Evangelios.

San Mateo arrancaba en la página 971 y, según le había dicho el padre Mendoza, el episodio de la Transfiguración ocupaba el capítulo 17. Recorriendo las cabeceras de página el Conde avanzó en el primero de los Evangelios hasta que encontró el capítulo 16 y luego el 19, con un salto mortal que lo sorprendió como un grito de alarma. Buscó entonces los folios y descubrió la elipsis: faltaba la hoja con las páginas 989 y 990, donde debían estar los capítulos 17 y 18 de Mateo.

—Lo sabía, coño, Alexis estaba pensando en la Transfiguración... Mira esto, falta la página donde ocurre eso. Déjame ver si falta en los otros.

Lentamente el Conde emprendió la búsqueda por los versículos de Marcos y Lucas para descubrir que ambos conservaban todas sus páginas y encontrar la historia de la Transfiguración en el capítulo 9 de Marcos: «Sus vestidos se pusieron resplandecientes y muy blancos, como no los puede blanquear ningún batanero de la tierra», y también en el 9 de Lucas: «Y mientras oraba, su rostro tomó otro aspecto y su vestido se volvió blanco y resplandeciente».

—¿Dónde estaba la Biblia, Manolo?

—En el buró de Alexis. En la gaveta de abajo, sin llave.

—¿Y la gente sabía que estaba allí?

—Bueno, el jefe dice que no lo sabía... Tú no me dijiste...

—No, no te preocupes. El problema es que alguien arrancó la hoja que falta. Y mira esto: lo hizo con mucho cuidado, no se nota la rasgadura, ¿ves? A lo mejor fue el mismo Alexis... ¿Te imaginas lo que quiere decir esto?

—Que tenía algo escrito.

—Algo que molestaba o perjudicaba a alguien, y ese alguien arrancó la página. O, si no, que significaba algo especial para este muchacho y por eso él mismo llegó a sacarla del libro. Y si fue así, esto nos puede aclarar muchas cosas, Manolo: ese cabrón estaba loco y se transfiguró por cuenta propia para entrar en su propio Calvario. Me juego las nalgas a que sí.

—Socio, cambia la apuesta. Creo que no te convienen ciertas influencias... Oye, pero acuérdate de que Salvador sí sabía que esta Biblia estaba allí.

—¿Tú piensas que haya sido él?

—No sé, pero yo lo traería y le apretaría la «k» hasta que dijera «q».

—No sé, Manolo, no sé... Si hubiera sido él, ¿para qué iba a hablar de la Biblia? No, no creo que Salvador sea tan comemierda como para parecer culpable de algo tan grave, y de contra ser el culpable. ¿No te parece?... Ahora tengo que hablar con el Viejo. Espérame aquí.

—Yo siempre te espero, Conde.

El teniente ignoró la ironía y salió al pasillo. Subió dos tramos de escalera, hasta el último piso. Avanzó por otro corredor y entró en la antesala del despacho del mayor

Rangel. Tras el buró de Maruchi —ella siempre tenía una flor en un pequeño búcaro que ya no estaba, tal vez se había ido con la muchacha— seguía la teniente que lo sorprendiera el día anterior. El Conde la saludó y le pidió ver al Mayor.

—Me dijo que nadie lo molestara —advirtió la teniente.

—Dígale que es urgente —ripostó el Conde—. Hágame el favor...

Ella rezongó sonoramente, cómo jode este tipo, estaría pensando, pero oprimió la tecla del intercomunicador y le dijo al Mayor que era el teniente Conde y decía que era urgente. «Que pase», dijo la voz que el Viejo envió desde su oficina.

El Conde abrió la puerta y lo vio con un tabaco en los labios. Era de la misma catadura de la breva infame y holguinera del día anterior.

—¿Qué pasó, Mario? —dijo el Viejo, y su voz de ese día era lenta y opaca.

—Te traigo esto, por eso era urgente —y sacó del bolsillo de su camisa el largo y deslumbrante Montecristo que le regalara Faustino Arayán.

—¿Y de dónde sacaste eso, muchacho?

—Se lo había prometido, ¿no?

—Coño, qué bien —dijo y casi sin mirar lanzó por la ventana el tabaco holguinero y se dedicó a oler el Montecristo—. Está un poco seco, ¿sabes?

—Usted lo arregla...

—¿Y qué más quieres? Mira que te conozco...

El Conde se sentó y encendió uno de sus cigarros.

—Citaron a Manolo. ¿Qué pasa con él?

El Mayor no respondió. Olfateó un poco más su nuevo tabaco y con mucho cuidado lo colocó en una gaveta.

—Para después del almuerzo...

—¿Me va a decir? —insistió el Conde.

—Lo llaman por ti —dijo el Viejo y se puso de pie.

—¿Por mí?

—Sí, es lógico. Oficialmente tú estás suspendido y por eso le interesas a Investigaciones Internas...

—Me voy a cagar en la...

—Oye —rugió entonces Rangel, cambiando su voz cansada por una modulación ronca y autoritaria que terminaba en la punta del dedo con que señalaba al teniente—. Tú te vas a estar tranquilo... Si haces, dices, comentas o piensas algo sobre esto y yo me entero, entonces sí te descojono, ¿me oyes? Esto está que arde y no quiero ni un problema más. A Manolo le van a preguntar sobre ti, y ¿qué va a decir él? Nada... Que te fajaste con Fabricio porque se tenían roña y más nada. Nada...

El Conde apagó su cigarro y de pronto deseó estar muy lejos de allí. Ya era bastante complicado buscar a violadores, ladrones, malversadores y ahora hasta asesinos de travestis místicos para que además sospecharan de él.

—Habla con Manolo y dile por dónde va la cosa. Pero háblalo fuera de aquí. ¿Me entiendes? Si alguien se entera de que yo te dije eso, al que le parten los cojones es a mí. ¿Okey?

El Conde no respondió.

—¿Okey, Conde? —insistió el Mayor.

—Okey, Viejo... Me voy... —y se puso de pie.

—Aguanta, aguanta ahí. ¿Cómo va tu caso?

El Conde alzó los hombros. De pronto no le interesaba demasiado su caso.

—Regular... Tengo un muerto a quien a veces le daba por ser el iluminado de Dios, y un sospechoso demasiado sospechoso, pero no tengo ni una prueba contra él.

—¿Y entonces?

—Voy a seguir buscando.

—Qué carajo —dijo el Viejo y abrió la gaveta del buró y extrajo el Montecristo. Lo desboquilló con los dientes, a la vieja usanza, y masticó brevemente la perilla retirada. Luego la escupió en el cesto y, cuando fue a acercar la llama del mechero al pie del habano, algo lo detuvo, mientras negaba con la cabeza—. Es demasiado bueno para encenderlo ahora. Esto por lo menos merece un café de verdad —y devolvió el tabaco a su gaveta—. Ah, déjame decirte otra cosa, Conde. Me llamó alguien para pedirme discreción en todo lo que se hiciera en este caso. Me dijo algo que yo no sabía: que el muerto era hijo del viejo Arayán, y tú sabes lo que eso significa. Quieren que todo siga como un problema ajeno a la familia para que se les relacione lo menos posible con toda esa jodienda de travestis y maricones en que andaba metido el hijo. Así que ya sabes: primero digo *trasvestis* porque me sale a mí, y después no jodas mucho a la familia y trata de resolver esto rápido y sin armar demasiada bulla, ¿okey?

—Anjá, como ellos digan —respondió de inmediato y abandonó la oficina, sin despedirse del Mayor. Ahora tenía más deseos de dejarlo todo. Y pensó: Qué mierda. Ni siquiera hay café para un buen tabaco.

—¿Qué te parece?

El Conde sonrió, mirando las hojas mustias y resecas de lo que aspiró a ser la revista literaria del Pre, y le pareció que todo aquello podía pertenecer a otra vida, demasiado lejana para ser la misma que todavía vivía: su cuento en el reverso de la portadilla con aquel dibujo impreso de la iglesia de Jesús del Monte, y el título pomposo de *La Viboreña*, tras el que se escondían tantas ansiedades y esperanzas cercenadas por el hachazo brutal de la intolerancia y la incomprensión.

—Ingenuo y sin densidad. Lo recordaba más escuálido y conmovedor —dijo, y se recostó en la cama del Flaco Carlos—. Le sobran como diez «ques» y le faltan comas...

—¿Y por qué querías leerlo?

El Conde sirvió más ron en su vaso y acercó la botella al vaso del Flaco.

—No sé si quería acordarme de lo que decía el cuento o de lo que me dijeron del cuento.

Carlos bebió de su ron y armó una mueca demasiado efectista para el dueño de una garganta cocida al fuego lento de una sostenida práctica cotidiana.

—Quién se acuerda ya de eso, Conde...

—Yo —afirmó y bebió un trago largo, casi excesivo.

—Dale suave, bestia... ¿Qué coño es lo que te pasa hoy, eh? Ayer estabas perfecto y hoy...

El Conde miró a su amigo: una masa cada vez más amorfa sobre la silla de ruedas. Cerró los ojos, como hacía su personaje en el cuento y, como él, pidió: Que sea mentira. Hubiera querido que el Flaco fuera todavía flaco, y no aquel gordo que se iba escorando, como un barco que se hundía y arrastraba en su naufragio las últimas alegrías posibles de Mario Conde. Quería jugar otra vez en la esquina y que estuvieran todos sus amigos de entonces y que nadie pudiera excluirlo de aquel sitio que tanto le pertenecía. Y a la vez quería olvidarse de todo, de una vez y para siempre.

—¿No me vas a decir qué te pasa, tú? —insistió Carlos, y movió su silla hasta el borde de la cama que ocupaba su amigo.

—Estoy jodido, Flaco. Ya no me quieren ni como policía... Hoy van a hablar con Manolo sobre mí. A lo mejor hasta me jubilan. ¿Qué te parece? Jubilado a los treinta y cinco...

—¿Eso es serio?

—Más serio que el culo de Desiderio.

El Flaco rió. Aquel cabrón no podía evitarlo.

—No tienes remedio, tú.

—Eso dicen. Dame más ron. Tengo miedo.

—¿Por qué, salvaje? ¿Hay líos?

—No sé, pero no puedo evitar el miedo... Dame más ron.

—Oye, tú, olvídate de eso... Conde, tú eres un tipo jodido y medio, pero eres un hombre bueno. Yo sé que tú no la debes, así que no la temas, ¿está bien?

—Está bien —admitió el otro, sin convicción.

—¿Te dije que esta mañana vino a verme Andrés?

—Ayer me dijiste que iba a venir. ¿Por fin qué quería el loco ese?

Carlos se sirvió más ron, bebió un trago devastador y acercó la silla de ruedas a su amigo, hasta colocarse frente a él.

—Viene Dulcita —dijo entonces.

—¿Dulcita? —y fue el asombro del Conde: ¿Dulcita?

Hacía más de diez años que Dulcita había salido para Estados Unidos, y el Conde recordó cuántas veces hablaron él y el Flaco de la partida de la muchacha que, durante dos años en el Pre, había sido la novia de Carlos. Dulcita la inteligente, Dulcita la perfecta, la buena socia, que se había ido, dejándolos con la interrogación de por qué se iba, precisamente ella. Y ahora regresaba:

—¿Y eso, salvaje?

—Viene a ver a la abuela, que parece que se está muriendo. Andrés lo sabe porque hablaron con él para conseguir el certificado médico que pide la Cruz Roja para tramitarle el permiso del viaje.

—De tranca, ¿no? —continuó el Conde montado sobre su asombro.

El Flaco terminó su ron y colocó sus manos sobre las rodillas del Conde, que sintió el calor profundo y húmedo de aquellas extremidades voluminosas.

—Más que de tranca, bestia. ¿Tú sabes lo que le dijo a Andrés la hermana de Dulcita? Pues que si nosotros no nos poníamos bravos ni eso nos perjudicaba, ella quería vernos. Pero que sobre todo quería verme a mí.

El Conde fue a sonreír, movido por una inevitable alegría que enseguida languideció, y mató la sonrisa antes de que naciera.

—Dime, Conde, ¿tú crees que es justo que Dulcita me

vea así? —y utilizó sus manos obesas para armar el gesto de mostrar su cuerpo desbordado sobre la silla de ruedas.

Mario Conde se puso de pie, se acercó a la ventana y escupió con fuerza. No era justo, pensó, mientras recordaba aquella foto en la que aparecían Pancho, Tamara, Dulcita, el Flaco y él, bajando la escalinata del Pre, el día que habían solicitado sus carreras para la Universidad. El Flaco, que entonces era muy flaco y andaba sobre sus dos piernas, estaba en el centro del grupo, con los brazos abiertos y la cabeza ladeada, como preparado para una crucifixión: Carlos y Dulcita habían sido una pareja hermosa y limpia, fanáticos del sexo y de la vida y de la alegría y del amor... No, no era justo, siguió pensando, pero dijo:

—Oye, si viene a verte y tú quieres verla, que te vea: tú eres tú y nunca vas a dejar de serlo, y el que te quiso tiene que seguir queriéndote, o que se vaya al carajo.

—No hables mierda, Conde, que eso no es así.

—¿No es así? Pues para mí sí es así, porque tú eres mi hermano y tiene que ser así... Pero si tú no quieres verla, pues no la ves, y se acabó.

—Eso es lo más jodido, Conde, yo sí quiero verla. Pero de todas formas no es una fiesta que ella me vea así. ¿Tú me entiendes?

El Conde encendió un cigarro y regresó a la cama. Aproximó aún más la silla de ruedas y el rostro de Carlos quedó a unos pocos centímetros del suyo.

—Flaco: no seas maricón —le dijo—. No te dejes vencer, cojones, que si tú renuncias sí que estamos jodidos. Hazlo por ti, y por mí y por la vieja Josefina: no dejes que nada te joda: ni una bala, ni el pasado, ni la guerra, ni esta cabrona silla de ruedas —soltó sin respirar y, contra su costumbre de pensarlo todo, tomó con sus manos la cara de Carlos y lo besó en un carrillo—. No renuncies, mi hermano.

—¡Pero qué coño es esto!

Claro que sí. Tenía que ser el verano más caliente que había vivido, concluyó mientras se desvestía para darse una ducha. Hacía varios días que el Conde se exprimía la memoria y la piel para tratar de recordar otras temperaturas de agosto capaces de superar las de aquel año cruel, pero el sol que calcinaba las paredes, el vapor que se desprendía del techo, la humedad que lo envolvía en su cama y esa depresión profunda, capaz de derrotar su voluntad y sus músculos, le estaban confirmando que no, no era posible recordar otro bochorno similar. ¿O era que el calor provenía de su cuerpo más que del ambiente infernal que se había adueñado de la isla? Miró el reloj: sí, todavía era temprano para que lo llamara el sargento Palacios y aún no sabía si él se atrevería a llamar al Marqués.

Cuando salió del baño, chorreando agua y con la toalla sobre los hombros como un boxeador vencido, el Conde decidió terminar de secarse contra la ráfaga estática del ventilador. Se dejó caer sobre la cama caliente y disfrutó por un momento de aquel privilegio mínimo de la soledad, sintiendo cómo el aire amasaba sus testículos derramados y le registraba el ano, con especial vehemencia. Cerró un poco las piernas. Entonces, para ayudar al aire, y también por simple manía onanista, comenzó a levantarse el pene mojado, dejando que sus dedos resbalaran hasta la cabeza quirúrgicamente descubierta, para soltarlo después, en una caída libre que poco a poco empezó a ser alzada y que transmitió a sus dedos la dureza tibia de la erección. Por un instante dudó si debía masturbarse o no: y decidió que no había razón para no intentarlo. Ninguna mujer posible estaba esperando precisamente por aquella eyaculación desechable, y mientras se acariciaba, hasta el calor del ambiente parecía haber cedido. Pero la decisión se encabalgó sobre una nueva duda: ¿a quién le toca? Sin soltarse el miembro pero reduciendo el ritmo frotatorio, el Conde abrió el libro manoseado de sus recuerdos eróticos y comenzó a pasar las páginas de sus mujeres amadas con el distanciamiento con que trataba de protegerse de los sucesivos abandonos, engaños y desapariciones que le habían propinado: en la última página —siempre empezaba por el final, como cuando leía un número de la revista *Bohemia*— sorprendió a Karina, desnuda, embocando un saxofón deslumbrante que en la intensidad de la música le acariciaba los pezones mientras se movía entre sus piernas abiertas, pero la dejó, la humilló con la indiferencia de su mente para vengarse de algún modo de aquella mujer demasiado dolorosa en su cercanía como para ser convocada, y es que aún podía respirar su olor de fruta madura, digerible, indeciso entre la guayaba y un perfume de ciruelas maduras, que se mezclaba con aquel vapor animal y profundo que brotaba de su sexo abultado de deseos:

—No, tú no.

Igual saltó sobre Haydée, procurando no recordar sus exhalaciones de alcoholes compartidos, tragados con desesperación de sedientos miserables, rones luego vertidos sobre la boca, los pechos y el pubis, doblemente humedecido, y por eso huyó, trató de no rozarla siquiera —aunque sin haber triunfado sobre la angustiosa tentación—, porque había sido su mejor amante, tan laboriosa en la cama que no le bastó con la productividad del Conde y lo sustituyó, alevosamente, por algún vanguardia nacional de la gozadera (¿a quién le estará besando el ano ahora mismo, con aquella lengua de reptil taladrante y escatológico?); pero sí atravesó sin mayores sobresaltos el recuerdo de Maritza, su primera esposa, demasiado alejada y gastada como para ser útil siquiera en una masturbación veraniega, apenas perceptible ya aquel olor rosado de su piel de virgen, siempre bañada para afrontar el amor, limpia y desapaciblemente; respiró con más nostalgia que deseos la fragancia de mujer esencial que le entregó aquella enfermera, ninfómana y bastante flaca, de nombre ahora olvidado pero siempre recordada porque lo inauguró en el placer de la mano ajena que acaricia, frota, hace descubrir el valor de otra piel y le da una dimensión inesperada al acto de la masturbación, sólo por venir de otras manos, de otra piel; y, al llegarle su turno, casi se queda con Tamara, lo sintió en la punta de los dedos y en el forro arrugado de sus testículos, al ver de nuevo su culo de bailarina de rumba y sus tetas con pezones de negra, la profundidad oscura de sus vellosidades encrespadas, y respirar el aroma recio de sus colonias para caballero —Canoe es mi preferida, solía admitir, alérgica a otros perfumes femeninos y sutiles—, y entonces detuvo la mano sobre el álbum —y sobre su glande ya inflamado y dispuesto a escupir— para llegar a una definitiva conclusión: ninguna de ellas... Desde su posición estiró el brazo, lo deslizó debajo de la cama y extrajo la *Penthouse* que Peyi le había prestado al Flaco y el Flaco le prestara a él, y fue ya sin ninguna duda en busca de aquella rubia desvergonzada —mucho pelo arriba, poco abajo— que en la misma posición que él —acostada, piernas abiertas a la brisa u otras cosas posibles—, hacía rebotar su desnudez profesional contra las sábanas rojas dispuestas para la fotografía: si había brisa en la foto —tenía que haberla— debía de oler a tierra húmeda y roturada, y la mujer, seguramente, se habría apropiado de aquella fragancia fértil y primaria. Mejor tú que una de mentiras y recuerdos, le dijo a la rubia, se inclinó hacia delante y continuó la frotación hasta dejar de ver a la mujer y ver y sentir cómo se le iba la vida en aquellas gotas blancas que llovían sin orden ni concierto sobre las polvorientas baldosas del cuarto, de las que se desprendía ahora, como alarmante perfume de su dolorosa soledad, aquel vaho dulzón de la eyaculación...

Pero el alivio sexual no alivió el calor: su cuerpo y su cerebro ardían, y comprendió que todo había sido en vano: no había otro remedio contra aquel calor específico que una mujer verdadera, no de recuerdos ni de perfumes recobrados ni de papel satinado, sino una hembra tangible, capaz de romper en pedazos aquel abandono agobiante que lo quemaba célula a célula, sin compasión, ni remedios ni técnicas dilatorias más o menos individualistas.

Desde su cama observó entonces a *Rufino,* el nuevo pez peleador que habitaba la redondez de la pecera. Era su compañero desde hacía unos diez días, cuando debió salir en su busca para sustituir al viejo *Rufino,* que amaneció boca arriba, con las aletas dislocadas, como al acecho de un viento inexistente, pálido en el violeta profundo de la muerte de un pez peleador. Ahora el joven *Rufino* se había detenido, como agotado por el esfuerzo de navegar en un mar de lava, el Conde casi podía verle las gotas de sudor, mientras, con los ojos clavados en el cristal, apenas movía sus diminutas agallas de animal de lidia: entonces empezó a descender con lentitud, sin lucha, sin aleteos, como definitivamente derrotado y el Conde asumió aquel descenso como propio, amargo reflejo especular de una caída libre de la que no se quiere ni se puede escapar, como la anunciada decadencia de Occidente o la ya inevitable declinación de su pene agotado y vacío. ¿Instintos suicidas?

El Conde encendió un cigarro y empezó otra vez a suicidarse, lenta y complacientemente.

—¡Pero qué coño es esto! —dijo, dispuesto a regresar a la ducha, cuando sonó el teléfono.

—Soy yo, Conde.

Espérate, Conde, espérate, no te mandes a correr. No, si por eso mismo quise hablar aquí en la calle, tranquilos tú y yo. Dame un cigarro a mí también. Espérate... Mira, no sé qué es lo que les puede interesar de ti, porque lo saben todo y no saben nada, y creo que están tirándole piedras a todos los muñecos a ver a cuál le dan. No estoy floreando, Conde, déjame hablar, compadre. Coño, hoy hace más calor que ayer, ¿no? Me preguntaron vida y milagros de ti, y también de mí, para que te enteres, pero sabían ya todas las respuestas, por mi madre que sí. Es una cosa increíble, viejo: saben hasta cuántos cigarros nos fumamos al día, pero uno no es bobo y se da cuenta de que no tienen nada en la mano. Para algo uno también es policía, ¿no? De ti querían saber sobre tu relación con el Viejo, si eran amigos o no, y eso lo sabe toda la Central, si yo creía que el Viejo tenía preferencias contigo y si alguna vez te había tapado algo, y cosas así. Insistieron mucho en eso, y la verdad es que no sé si era por ti o por el mayor Rangel. ¿Qué tú crees? Si también lo están investigando a él, ya tú sabes... Entonces me preguntaron si lo de tu bronca con el teniente Fabricio había sido por algún problema de trabajo o por rencillas personales, que qué opinábamos de las investigaciones que se están haciendo, que si yo creía que tú tenías dependencia alcohólica, que por qué vivías solo, imagínate tú. También me preguntaron sobre tus informantes, y hasta mencionaron el nombre de Candito, si tú les dabas protección para que se metieran en negocios clandestinos y cosas así, como si nadie hiciera eso, ¿no? Ah, y oye esto, sabían que habías tenido relaciones con Tamara cuando estabas investigando el caso de su marido. ¿A quién tú le hablaste de eso, Conde? Bueno, pues ellos lo sabían, y que después no se habían vuelto a ver más, hasta eso también lo sabían. Y sabían mil boberías más, aunque nada importante: me preguntaron que por qué te gusta entrar en las iglesias, que por qué le dices a la gente que quieres vivir en una casa cerca del mar, si tú sigues pensando en ser escritor y que de qué cosas te gusta escribir. Nada, les dije que te gustaba escribir de cosas que fueran escuálidas y conmovedoras y ahí sí que los saqué de paso. ¿Pero te das cuenta de que lo saben todo? Lo jodido es eso, Conde, uno siente de pronto que está viviendo en una urna transparente, o en un tubo de ensayo, no sé, y que lo ven a uno cagar, mear y hasta sacarse los mocos, porque creo que saben si uno los hace bolitas para tirarlos o si los pega debajo de una mesa: eso sí me horrorizó: nos tienen retratados y saben todo lo que hacemos y lo que no hacemos, y todo les interesa. A lo mejor yo soy muy comemierda, pero no me imaginé que eso fuera así. De verdad que eso sí da miedo, Conde, de verdad que sí. No, eran tres, yo no los conozco, un capitán y dos tenientes, me dijeron, pero estaban con uniforme militar de campaña, sin grados. En una oficina del segundo piso, al lado del salón de reuniones. Me mandaron entrar, me sirvieron café y todo fue muy suave, como una conversación de amigos, y ellos eran los amigos curiosos a los que les interesa saber cualquier cosa, cualquier bobería. Y son unos cabrones preguntando, yo quisiera que tú vieras qué bien te dan una vuelta para volver a caer en lo que les interesa, pero haciendo como que no les interesa mucho, tú sabes, pero conmigo estaban jodidos: primero porque yo me sé de memoria ese jueguito y soy en eso un león afeitado, como tú dices, y segundo porque no sé ni cojones qué les pueda interesar. Sí, dicen que éste es un trabajo necesario, que se han descubierto muchas irregularidades, indisciplinas, violaciones de los reglamentos y eso no se puede permitir y que por eso les han mandado intervenir e investigar a todo el mundo y que todo el que haya hecho algo incorrecto va a tener que asumir la responsabilidad. Y déjame decirte algo, Conde: de verdad no tienen nada seguro contra ti ni contra mí, porque vienen dispuestos a pasar la cuchilla bajito, sin contemplaciones con nadie, así que ándate con pies de plomo en estos días, porque de verdad que la candela es brava. Fíjate si es así que, ¿tú sabes a quién me dijeron que sacaron hoy de la Central? Al Gordo Contreras... No, claro que no me dijeron por qué ni yo me quedé a averiguar, tampoco estoy para quemarme así por gusto, de comemierda, pero si lo sacaron, es porque tienen cosas contra él, te lo puedes jugar al pegao, Conde, hasta las nalgas te puedes jugar a que tienen cosas contra él... Pobre Gordo, ¿no?

Fue Afón, le dijeron Pancho y el Conejo, casi en un susurro, cuando vio que en su maleta abierta faltaban las dos latas de leche condensada que guardaba como su mayor tesoro para las noches de hambre y frío. Una ira maligna le cubrió entonces la cara, le martilleó las sienes y le resecó la garganta, pero lo pensó dos veces antes de decidirse: no me queda más remedio que fajarme. Si dejo esto así van a terminar cogiéndome el culo, y yo soy un hombre, qué cojones, también pensó y pensó que iba a perder esa bronca, que el negro Afón, con aquellos bíceps de pesista, iba a desarmarlo a piñazos, y que no tenía sentido, además de ser robado, terminar con los labios partidos y los ojos hinchados ante el tribunal disciplinario, pero en aquella selva las leyes estaban claramente escritas en el lomo de los tigres, y la primera de todas advertía que los hombres son hombres, mañana, tarde y noche, y la segunda rezaba: «Primero muerto que desprestigiao», y que a uno le roben la comida, sabiendo quién fue el ladrón, y prefiera disimular antes que reclamar como se debe reclamar en estos casos (con los puños), era el primer paso hacia un desprestigio sin fondo: si hoy te robaron la comida de la maleta, mañana podía ser la ropa, pasado el dinero y tres días después estarías fregando las bandejas de tres o cuatro tipos o, como Bertino, tendiendo la cama de medio albergue y diciendo que él se dejaba meter el dedo en el culo porque se lo hacían jugando y él sí que no tenía complejos. En aquellos campamentos, lanzados a una convivencia forzada, aislados de las protecciones paternas y puestos a decidir cada uno por su propia vida y seguridad, los estudiantes se veían obligados a defenderse y debían sacar a relucir sus instintos primarios, mientras establecían una lucha constante por la comida, el agua, el mejor colchón, el baño limpio y el trabajo más cómodo, en una competencia sin fin capaz de desarrollar una agresividad que sólo se equilibraba con más agresividad. Grito por grito, robo por robo, golpe por golpe, era la tercera ley fundamental de aquella química cruel y sin espacios para ninguna relatividad. De un tirón cerró la tapa de madera de su violada maleta, y salió al patio donde Afón, tranquilamente, jugaba al voleibol, prodigando remates imparables con sus brazos de pesista.

El Conde entró en el terreno de juego y agarró la pelota que pasó cerca de él y, con ella bajo el brazo, en medio de las protestas de los jugadores, avanzó hacia Afón, mientras pensaba, no me puede fallar la voz, coño, y la voz no le falló cuando dijo: Dame mis dos latas de leche. Entonces los jugadores hicieron silencio, y se prepararon para ver el *show* que acababa de anunciarse. Afón miró a los espectadores y sonrió a su adorado público, con aquella sonrisa tan segura que también metía miedo. Y entonces le dijo: ¿Qué coño te pasa, chama? Que me robaste mis latas de leche, maricón, gritó el Conde y pensó —todo lo pensaba— que no debía hablar más y le lanzó la pelota en pleno rostro al negro Afón y luego, ahora sin pensarlo, se lanzó él mismo tras la pelota, en busca de la cara asombrada del ladrón. Logró golpearlo dos veces, a la altura del cuello, hasta que un puño de Afón chocó con una de sus mejillas y lo lanzó a tierra, para lo que debía ser el principio del fin, cuando una voz gritó desde el borde del terreno: Afón, deja al chama y dale sus latas de leche..., pero el Conde se había puesto de pie, impulsado por la furia sanguínea que le provocaba ser golpeado en la cara y volvió al ataque, sin pensar en nada y en nadie, hasta que entre cuatro o cinco jugadores lograron sacarlo del abrazo mortal en que lo había envuelto Afón, cuando la voz de Candito el Rojo, con las manos en la cintura y ya frente al ladrón, volvió a decir: Afón, le vas a dar sus latas de leche, ¿verdad...?

—Afón te iba a matar, Conde —sonrió ahora Candito, y terminó su taza de café.

—No jodas, Rojo, no mataba a nadie... ¿Por qué me dio las latas de leche y no se fajó contigo?

—Pobre Afón, yo no sé cómo estaba tan fuerte, con el hambre que pasaba ese negro. ¿Está bueno el café?

—Encojonao —sentenció el Conde.

—Es que soy malísimo al guillo ese de hacer café. O me queda claro, o dulce, o demasiado fuerte, o sabe a cocimiento...

—Este estaba buenísimo —ratificó el Conde, que se preciaba de ser un buen catador de café, y encendió un cigarro, mientras le pasaba su cajetilla a Candito el Rojo. El mulato tomó uno y se reclinó en su sillón. A esa hora efervescente de la tarde el pasillo del solar vivía su máxima agitación del día, y hasta ellos llegaban los gritos y ruidos del promiscuo vecindario: voces de niños que jugaban, una mujer que le pedía sal a Macusa, una radio en la que cantaba Tejedor y otra que informaba sobre el descarrilamiento de un tren en Matanzas, con muertos y heridos, además de un hombre que, a voz en cuello, se cagaba en la madre del dueño del singao perro que se había cagao frente a la puerta de su cuarto.

—A veces a uno le dan ganas de irse para la luna, Conde... Tú sabes que yo nací aquí, cuando no teníamos la barbacoa ni el baño acá dentro y este cuarto era la mitad de lo que es ahora y vivíamos los viejos, mi abuelo, mi hermano y yo, y teníamos que hacer cola para bañarnos y cagar en los baños colectivos. Pero es mentira eso de que uno se acostumbra a todo... Mentira, Conde. Ya yo estoy que no aguanto más, y a veces me pongo a pensar cuándo voy a poder vivir como una persona, tener mi casa, estar tranquilo cuando quiera estar tranquilo y oír música cuando quiera oír música y no todo el santo día... Ya estoy hasta aquí —y se tocó uno de sus pelos rojos—. Tú sabes que cuando voy por ahí, por la calle, tengo la manía de ponerme a mirar las casas de la gente y a pensar cuál me gustaría tener, y trato de adivinar por qué alguna gente vive en casas tan lindas y otros nacimos en un solar con peste a mierda, que además nos va a tocar para toda la vida...

Cuando hay una casa que me gusta mucho, hasta me imagino cómo yo viviría ahí si ésa fuera la mía... ¿A ti no te pasa eso? Mira, ¿tú sabes qué cosa es el chama que vive en el segundo cuarto, el hijo de Serafina? El tipo es ingeniero químico, Conde, y le sabe un mundo al guillo ese, pero sigue clavao aquí en el solar... Por eso yo tengo que conformarme con este cuarto, ¿no?, y hasta darle gracias a Dios, porque hay otros que ni esto.

—¿Y por eso a cada rato vas a la iglesia?

—Bueno, ahí por lo menos la gente no grita.

—¿Y qué le pides a Dios?

El Rojo fumó de su cigarro antes de aplastarlo en el cenicero de barro y miró a su amigo.

—¿Me estás vacilando, Conde?

—No, en serio.

—Le pido que me dé salud, que me dé paz, que me dé paciencia, que me proteja, y le pido también cosas buenas para mis amigos, como tú o como Carlos...

El Conde sabía que Candito estaba diciendo la verdad y sintió que aquellas plegarias, en las que él también figuraba, dichas por alguien como su viejo amigo el Rojo, tenían un valor agregado que lo conmovió. Porque el Rojo no sólo lo había salvado de que Afón lo destripara en aquella escuela en el campo, sino que le había demostrado una fidelidad permanente, a la que el Conde no había correspondido con la misma sinceridad: como amigo nunca había tenido tiempo para dedicarle a Candito, y como policía lo había exprimido más de una vez, aprovechándose sin piedad del conocimiento que tenía el Rojo de todo lo que se movía en La Habana clandestina. En cierto modo, pensó el Conde, soy cínico y egoísta.

—Si Dios existe, ojalá que te oiga...

—Qué interesado eres, cabrón... ¿Y en qué tú andas ahora, Conde?

—Ahora estoy buscando a uno que mató a un travesti... Pero no es así tan fácil, no te creas. Parece que el travesti era un místico, leía la Biblia y la noche que lo mataron se vistió como el personaje de una obra de teatro. Pero lo mejor de la historia es que le metieron dos pesos machos por el culo.

Candito miró al piso, mientras registraba su memoria.

—Está cabrón eso —admitió Candito—. Esa sí que es nueva en el ambiente. Pero quiere decir algo, Conde. A lo mejor que le estaban pagando algo... Bueno, y tú quieres que yo te ayude, ¿verdad?

—No, ahora no. A lo que vine fue a avisarte que tienes que quitar la piloto —le dijo al fin, y encendió otro cigarro.

—Y eso, ¿hay líos?

—Parece que sí, pero no me preguntes, porque no sé bien cuál es el problema y, además, no te lo puedo decir. Nada más hazme caso y quita la piloto.

Candito se pasó la mano por la cabeza, como si necesitara despejar algo que se había alojado entre sus agresivos pelos rojos.

—Está bien, Conde, tú sabes por qué me lo dices... Qué lástima, ¿no? Me estaba buscando unos pesos...

—¿Y el mulato del otro día? ¿El de la bronca?

Ahora Candito sonrió, pero parecía aburrido y triste.

—Dijo que venía a hablar conmigo para que lo dejara entrar a mear...

—¡Te lo dije!, pero es que ustedes están locos.

—No, Conde, no estamos locos. Tú sabes de lo tuyo y yo sé de lo mío... Ese tipo es un cobrador.

—¿Cómo que un cobrador?

—Lo que oíste. La gente lo alquila para que él cobre por ellos: lo mismo cobra dinero prestado que cualquier tipo de deuda: un tarro, un chivatazo, cualquier cosa que la gente quiera cobrarle a otro. Y el tipo es un profesional de eso.

El Conde movió la cabeza, negándose a creer aquello, aun cuando sabía que viniendo de Candito debía de ser cierto.

133

—Pero ¿y si de verdad el tipo quería mear?

—En esta casa nadie puede entrar a mear. Eso lo sabe todo el mundo, así que eso es un cuento chino del tipo ese. Y si era verdad que quería mear, pues se jodió, el pobre, pero el que no se podía joder era yo. O tú. O Carlos. El Conde volvió a sacudir la cabeza, negando algo que no era capaz de negar con palabras.

—Seguro que era por mí.

—Dice él que no, pero eso nunca se sabe...

—El que nunca sabe soy yo, Rojo. ¿Tú sabes que me estoy sintiendo como si estuviera fuera del juego? Es una cosa rarísima, pero cada vez entiendo menos. O todo está cambiando muy rápido o yo me estoy volviendo imbécil. No sé, no sé, pero tengo la cabeza hecha un patiñero... Dame más café, anda —pidió entonces, y encendió otro cigarro—. Déjame decirte una cosa, Rojo. Después que quites la piloto, desaparécelo todo, y trata de irte una semana para la playa, o para la luna, como tú dices... Pero si alguien viene a verte por cualquier lío, lo primero que tienes que hacer es llamarme y que me busquen donde quiera que esté metido. Porque si te meten en candela, me tienen que quemar a mí también... De todas maneras, ve mañana a la iglesia, y pídele a Dios, también de parte mía, que nos tire un cabo, si es que puede.

—¡Qué clase de tipo tú me has salido, Conde!

—Oye, y hablando de todo un poco. Ya que vas a cerrar el negocio, ¿por qué no me das una cervecita para quitarme el calor?, ¿eh?

El Conde se miró en el espejo: de frente, directamente a los ojos, observó el ángulo esquivo de su perfil, y cuando terminó el examen debió aceptar: es verdad, tengo cara de policía. ¿Y qué voy a hacer con esta cara de policía si me sacan de la policía? Por lo pronto, no voy a afeitarla hoy, se dijo, y fue entonces cuando decidió llamar a Alberto

Marqués y aceptar su invitación. ¿A las nueve? Está bien. En Prado y Malecón... Cuidado con la bala del cañonazo, príncipe...

Ahora, a las nueve y cuarto, el Conde ya había estado tres veces en cada una de las dos esquinas y la recta que conforman el cruce del Paseo del Prado y la avenida del Malecón, pues había cometido el error de no especificar con el Marqués el sitio exacto de la cita. Lo peor era que todo el tiempo había sentido cómo las manos se le humedecían, del mismo modo que solía sucederle cuando esperaba a una mujer de estreno. Esto es mariconería mía, se había acusado, pero ni la conciencia de arrastrar aquel cargo terrible mitigó la transpiración que no tenía siquiera la justificación del calor: del mar, a esa hora, salía una brisa leve pero suficiente, que refrescaba aquel viejísimo rincón de la ciudad y arrastraba con sus rachas intermitentes a ciertas mujeres con olor a puerto, brotadas, como mariposas turbias, de alguna flor de ciclo lunar y convocadas tal vez por la penumbra apenas inaugurada y siempre favorable a su oficio de tinieblas. El Conde comprendía que su ansiedad se debía a la incertidumbre: ¿adónde iban a ir?, ¿qué cosas le propondría ver (o hacer) Alberto Marqués? Aunque estaba seguro de que el viejo dramaturgo no intentaría con él ningún cruce de espadas, el Conde había sentido un rubor tangible y consideró, antes de salir de su casa, que, si tenía cara de policía y hasta lo investigaban por ser policía, esa noche debía llevar su pistola de policía, cuyo peso frío sostuvo entre las manos por un minuto, antes de convencerse de que los riesgos de esa noche no se defendían con plomos y optó por abandonar el arma en la profundidad de su gaveta. Por pensar en la pistola, pensó de nuevo en su amigo, el capitán Jesús Contreras, el terrible Gordo, y la noticia que le había traído Manolo. Me cago en mi madre, se dijo, observando la planicie oscura del mar, inabarcable, como la felicidad o el miedo, pensaba el Conde, cuando oyó su voz.

—No piense tanto, señor policía teniente Mario Conde. ¿Me disculpa la tardanza?

Y lo vio: era el mismo, pero también era otro, como si de algún modo se hubiera disfrazado para un carnaval extemporáneo. Una melena rubia, corta pero bien poblada, cubría ahora el original desgreñado de su cabeza, dándole un aspecto de caricatura viviente que trataba de remediar con constantes ajustes del casco capilar. Mientras, la cara empolvada con esmero y abundancia, tenía la palidez amarillenta de una máscara japonesa. Usaba una camisa rosada, en forma de bata abierta al cuello, que flotaba sobre la delgadez de su esqueleto sombrío, y un pantalón negro, muy ajustado contra sus muslos flacos, y unas sandalias sin medias, que dejaban ver la impudicia de sus dedos gordos, con aquellas uñas como garfios agresivos. El Conde comprendió entonces: más que un error, había cometido una locura. Por eso miró hacia los tres encuentros de las dos avenidas, buscando posibles perseguidores, pues si lo estaban vigilando, como decía Manolo, lo iban a botar no por corrupto o por incapaz, sino por imbécil. Trató de imaginar, desde la acera de enfrente, qué imagen ofrecían él y Alberto Marqués y se horrorizó con lo que vio.

—Bueno, saque la brújula —dijo al fin, dispuesto a enfrentar su destino.

—Vamos a subir por Prado, pues aunque mucha gente no lo crea, el sur también existe.

—Usted manda —aceptó el Conde, y cruzaron la avenida del Malecón, alejándose del mar.

Tras los pasos del Marqués, el policía siguió la ruta marcada a través del viejo paseo, flanqueado por algunos falsos laureles, cada vez más maltratados, y por las colas que engordaban y se alargaban en cada parada de ómnibus. Las farolas supervivientes iluminaban el piso sucio de aquel sitio que, por primera vez, el Conde comenzó a imaginar como un bulevar.

—¿Sabe que este paseo es una réplica tropical de Las

Ramblas de Barcelona? Los dos mueren en el mar, tienen casi los mismos edificios a los lados, aunque en una época los pájaros enjaulados que venden en Barcelona fueron aquí animales libres y silvestres. El último encanto que perdió este sitio fueron aquellos totises que venían a dormir en los árboles. ¿Se acuerda usted de eso? A mí me gustaba ver por las tardes cómo volaban esos totises desde toda la ciudad, formando bandadas cada vez más grandes mientras más se acercaban al Prado. Nunca supe por qué esos pájaros negros escogieron estos árboles del mismo centro de La Habana para venir a dormir cada noche. Era algo mágico verlos volar como ráfagas oscuras, ¿verdad? Y fue un acto de nigromancia su desaparición. ¿Dónde estarán ahora los pobres totises? Una vez oí decir que se fueron por culpa de los gorriones, pero el caso es que no queda ni uno por aquí. ¿Los botaron o se fueron voluntariamente?

—No sé, pero puedo preguntar.

—Pues pregúntelo, porque cualquier día se entera de que también desaparecieron los leones de bronce... Lástima de lugar, ¿verdad?... Pero fíjese que todavía tiene algo mágico, como un espíritu poético invencible, ¿no? Mire, aunque las ruinas circundantes sean cada vez más extensas y la mugre pretenda tragárselo todo, todavía esta ciudad tiene alma, señor Conde, y no son muchas las ciudades del mundo que pueden vanagloriarse de tener el alma así, a flor de piel... Dice mi amigo el poeta Eligio Riego, que por eso aquí crece tanta poesía, aunque digo yo que éste es un país que no se la merece: es demasiado leve y amante del sol...

El Conde asintió, sin responder. Quería evadir aquel rumbo metafísico de la conversación y trasladarlo a niveles de realidad concreta.

—¿Y por fin, qué vamos a hacer?

—Bueno —el Marqués rectificó el equilibrio de su peluca rubia y dijo—: ¿Usted no quería ver de cerca los hábitos nocturnos de los gays habaneros?

—No sé... Quería tener una idea del ambiente...

El Marqués miró hacia el frente, después de pasar ante un grupo de jóvenes que los estudiaron con marcada insolencia.

—Pues ya empezó a ver algo... Y lo que usted quiere ver y saber no es demasiado agradable, se lo advierto. Es sórdido, alarmante, descarnado, y casi siempre trágico, porque es el resultado de la soledad, de la represión eterna, de la burla, la agresión, el desprecio, y hasta del monocultivo y el subdesarrollo. Me entiende, ¿verdad?

—Lo entiendo, pero quiero verlo —insistió el Conde, tapándose la nariz de la conciencia para disponerse a saltar en aquel pozo oscuro y sin fondo de los sexos invertidos.

—Pues vamos a pasear un poco y después vamos a ir a una fiestecita que hay en casa de Alquimio, un amiguito mío... Allí va a haber gentes que conocían a Alexis, aunque ya hice mis averiguaciones detectivescas y hacía más de una semana que él no iba por allí. Sabe, creo que me está gustando eso de ser un poco policía...

Despojándose de su peluca, como si fuera el tocado de un plebeyo, el Marqués anunció: Este es un noble, como yo, aunque apenas es Conde. Siéntese ahí, señor Conde, y casi lo empujó para que el policía cayera de nalgas sobre un cojín tirado en el piso, mientras su guía material y espiritual se dejaba envolver por un abrazo múltiple, de besos húmedos en las mejillas, de risas ansiosas y galantes que el dramaturgo recibía con la avaricia insaciable de un dios pagano acostumbrado al culto. En la sala de la casona, de amplios balcones abiertos a los misterios de la noche y de un techo altísimo y poblado de cenefas, ángeles ciegos de polvos fosilizados y cornucopias paridas de frutos olivados por la tierra, había cerca de treinta personas, todas dedicadas en aquel instante a ofrendar el tributo que parecía merecer la presencia de Alberto Marqués, junto al que se había formado un coro habanero, seguramente dedicado a escuchar ciertos pormenores de la muerte roja de Alexis Arayán. Dios, qué horror, exclamó una muchacha que se había quedado en la periferia y cuyos muslos, desde su posición favorablemente inferior —era el único sentado—, el Conde miraba golosamente, hasta dos milímetros antes del nacimiento de unas nalguitas de gorrión sin nido. Su hambre sexual de dos meses a dieta manual sintió la sacudida alarmante de aquel olor a comida, racionada pero fresca, distante pero posible.

Más de diez minutos duró la alabanza que provocara la presencia del Marqués, hasta que poco a poco los corifeos fueron desertando para recuperar cojines, y el dramaturgo tomó de la mano a su escucha más cercano y lo llevó frente al Conde, haciéndole una señal para que no se levantara.

—Mira, Alquimio —dijo, y el policía supo que era el anfitrión de aquella fiesta—, éste es mi amigo, el Conde... Es escritor, lamentablemente heterosexual y también conoció a Alexis...

—Mucho gusto —dijo Alquimio y le extendió una mano suave que resbaló sobre la humedad incontrolable de la mano del Conde—. Si es amigo del Marqués, también es amigo mío y todo lo que hay en esta casa es suyo. Hasta yo... A ver, ¿qué quiere tomar?

—Dale ron, mijo —intervino el Marqués—. Si dice que es un macho criollo... —y sonrió, en el momento en que ya giraba y se abalanzaba hacia el rincón donde parecía esperarlo un muchacho con cara de pescado fresco.

—Enseguida le mando el ron, Conde. ¿Lo quiere en copa o en vaso? —preguntó Alquimio y el Conde levantó los hombros: en tales casos sólo importaba el contenido, no el continente. Entonces el risueño anfitrión también se fue, pero en el rumbo en que debía de estar la cocina. Mientras, alguien había puesto música, y el Conde escuchó la voz de María Betania, y presumió que debía de ser una invitada habitual en el ambiente. Desde la soledad metafísica y objetiva de su cojín pudo dedicarse a observar algo de la fiesta: había más hombres que mujeres y a pesar de la música nadie bailaba, pues se dedicaban a conversar en grupos o en parejas, siempre de fácil cambio de composición o de lugar, como si el movimiento perpetuo fuese parte de un ritual. Es como si les picara el culo y no pudieran estarse tranquilos, concluyó el Conde. Durante su viaje visual, el policía sorprendió varias miradas aceitosas, dirigidas a él y enviadas por mariconcitos de la vertiente lánguida, que parecían lamentar su inmaculada heterosexualidad, ya proclamada públicamente por el Marqués. El Conde se sorprendió a sí mismo sacando un cigarro con cierto estilo Bogart, como para aumentar su cotización en aquel mercado rosa: se sentía deseado, con toda la ambigüedad del caso, y disfrutó de aquella atracción fatal. ¿Me estaré volviendo maricón?, empezó a dudar, cuando frente a sus ojos apareció una copa, verde, pero felizmente rebozada de ron.

Nalguitas de gorrión sonrió al entregarle la bebida y, cruzando las piernas todavía de pie, cayó sentada en postura yoga en el cojín que misteriosamente había aparecido frente al Conde.

—¿Así que tú eres *un* heterosexual? —le preguntó, examinándolo como a un bicho raro y en peligro de extinción.

—Nadie es perfecto —citó el Conde, y devoró un trago largo que sintió circular de su boca al estómago y del estómago a la sangre, como una necesaria transfusión desinhibidora.

—Yo soy Poly, la sobrina de Alquimio —dijo ella, peinándose con los dedos el flequillo que le caía en la frente.

—Y yo el Conde, aunque no de Montecristo.

Poly sonrió. Tendría algo más de veinte años y vestía un *baby-doll* violeta, robado de alguna película de los sesenta. En el cuello llevaba un camafeo atado con una cinta también violeta (¿de qué película sería?) y, aunque no era linda ni poblada de encantos carnales visibles, caía en la categoría de objeto singable de primer grado, según la devaluada exigencia erótica del Conde.

—¿Qué tú escribes?

—¿Yo? Pues cuentos.

—Qué interesante. ¿Y eres posmoderno?

El Conde miró a la muchacha, sorprendido por aquella disyuntiva estética imprevista: ¿debía ser posmoderno?

—Más o menos —dijo, confiando en la posmodernidad y en que ella no le preguntara cuánto más y cuánto menos.

—A mí me gusta pintar, ¿sabes?, y yo sí soy loca a lo posmoderno.

—Anjá —dijo el Conde y terminó con el ron.

—Dios, qué horror, cómo tragas... Dame, voy a traerte más.

Desde su rincón el Marqués le hizo un saludo con la mano. Seguía allí, junto a su pescado en tarima, y parecía feliz de la vida, bajo la sombra de la melena rubia que había devuelto a su testa mal poblada.

—Toma —dijo Poly, y ahora la copa estaba llena hasta los bordes.

—Gracias. Y tú, ¿eres *una* heterosexual?

Ella volvió a sonreír. También tenía dientes de gorrión, pequeñitos y afilados.

—Casi siempre —admitió, y el Conde tragó en seco. ¿Será un travesti, con ese culito?—. Es que si una persona quiere conocer todas sus posibilidades, todas las capacidades de su cuerpo debe tener alguna relación homosexual. ¿El Marqués no te ha dicho eso?

—No. El sabe que soy de la línea machista-estalinista.

—Tú sabrás... Pero te falta algo muy importante en la vida.

—Hasta ahora me voy arreglando así, no te preocupes. Oye, ¿tú conocías a Alexis?

Ella acarició su camafeo y suspiró:

—Fue un horror lo que hicieron con él. Pobre muchacho. Si él no se metía con nadie, ¿verdad?... Porque hay otros que son más agresivos, que se propasan con los hombres, de esos que van a los baños a mirar y esas cosas. Pero él no. Yo soy medio pintora, ya te lo dije, ¿no?, y por eso me gustaba hablar mucho con él, cuando venía a ver a mi tío. Sabía cantidad de pintura, sobre todo de pintura italiana... Y hablando con él me decía que su problema era que él se enamoraba de verdad y que no resistía cambiar de pareja a cada rato.

—Porque ellos cambian mucho, ¿verdad?

—Sí, casi ninguno tiene una relación así, de mucho tiempo, y eso era lo que él quería tener. Para mí que él era más mujer que hombre, mujer de la cabeza, ¿me entiendes?

—No, creo que no.

—Mira, a él lo que le hubiera gustado es vivir en una casa con un hombre, que fuera su marido, de él y de más nadie, y entonces ser como la mujer de ese hombre. ¿Ahora sí entiendes?

—Más o menos. Lo que no entiendo es que anduviera por la calle vestido de mujer, como si hubiera salido a buscar a un hombre.

—Sí, eso es rarísimo, porque él era de lo más penoso. Y déjame decirte que los travestis de verdad están asustados porque dicen que a lo mejor es que empezó un linchamiento en cadena. Pero debe de ser histeria de ellos.

—Así que son histéricos.

—¿Los travestis? Muchísimo. Como que quieren ser mujeres y no hay mujer que no sea histérica. Pero Alexis no, yo no creo que fuera histérico, aunque era un depresivo de campeonato...

—Poly —se atrevió entonces el Conde—, sabes, es que quisiera escribir sobre este ambiente. Háblame un poco de la gente que está hoy aquí.

Ella volvió a sonreír, siempre podía sonreír, y puso cara de ingenua.

—Tú pareces policía.

El Conde acudió a todo su poder de recuperación:

—Y tú pareces un gorrión posmoderno.

Ahora fue una risa, entrecortada y lenta, que llevó la frente de Poly a descansar sobre una rodilla del Conde. No, claro que no es un travesti, trató de convencerse.

—Dios, qué horror, si aquí hay de todo —dijo ella, mirando los ojos del policía, como si se tratara de una confesión.

Y el Conde supo que en aquella sala de La Habana Vieja había, como primera evidencia, hombres y mujeres, diferenciables además por ser: militantes del sexo libre, de la nostalgia y de partidos rojos, verdes y amarillos; ex dramaturgos sin obra y con obra, y escritores con ex libris nunca estampados; maricones de todas las categorías y filiaciones: locas —de carroza con luces y de la tendencia pervertida—, gansitos sin suerte, cazadores expertos en presas de alto vuelo, bugarrones por cuenta propia de los que dan por culo a domicilio y van al campo si ponen caballo, almas desconsoladas sin consuelo y almas desconsoladas en busca de consuelo, sobadores clase A-1 con el hueco cosido por temor al sida, y hasta aprendices recién matriculados en la Escuela Superior Pedagógica del homosexualismo, cuyo jefe docente era el mismísimo tío Alquimio; ganadores de concursos de ballet, nacionales e internacionales; profetas del fin de los tiempos, la historia y la libreta de abastecimiento; nihilistas conversos al marxismo y marxistas convertidos en mierda; resentidos de todas las especies: sexuales, políticos, económicos, sicológicos, sociales, culturales, deportivos y electrónicos; practicantes del budismo zen, el catolicismo, la brujería, el vudú, el islamismo, la santería y un mormón y dos judíos; un pelotero del equipo Industriales que batea y tira a las dos manos; admiradores de Pablo Milanés y enemigos de Silvio Rodríguez; expertos como oráculos que lo mismo sabían quién iba a ser el próximo Premio Nobel de Literatura como las intenciones secretas de Gorbachov, el último mancebo adoptado como sobrino por el Personaje Famoso de las Alturas, o el precio de la libra de café en Baracoa; solicitantes de visas temporales y definitivas; soñadores y soñadoras; hiperrealistas, abstractos y ex realistas socialistas que abjuraban de su pasado estético; un latinista; repatriados y patriotas; expulsados de todos los sitios de los que alguien es expulsable; un ciego que veía; desengañados y engañadores, oportunistas y filósofos, feministas y optimistas; lezamianos —en franca mayoría—, virgilianos, carpenterianos, martianos y un fan de Antón Arrufat; cubanos y extranjeros; cantantes de boleros; criadores de perros de pelea; alcohólicos, siquiátricos, reumáticos y dogmáticos; traficantes de dólares; fumadores y no fumadores; y un heterosexual machista-estalinista.

—Ese soy yo... ¿Y travestis? ¿No hay travestis? —preguntó, clavándole en el pecho su mirada de cazador de vampiros.

—Mira, al lado de la puerta del balcón: ésa es Victoria, aunque le gusta que le llamen Viki, pero de verdad se llama Víctor Romillo. Es de lo más bonita, ¿verdad? Y aquélla, la trigueña que se parece a Annia Linares: de día se llama Esteban y de noche Estrella, porque ella es la que canta boleros.

—Dime una cosa: aquí hay como treinta personas... ¿Cómo puede haber tantas cosas como me dijiste?

Poly sonrió, inevitablemente.

—Es que practican el multioficio y hacen trabajo voluntario... Ji, ji... Mira, mira, el que está al lado de Estrella se llama Wilfredito Insula, y es como diez de las cosas que te dije. Dios, qué horror, ¿y tú vas a escribir de esto?

—No sé, a lo mejor sí. Pero lo que más me interesa es eso de los travestis.

—Entonces tienes que ir un día a una fiesta en casa de Ofelia Belén Pacheco, un maricón viejo que vive por la Virgen del Camino, porque allí sí se hacen fiestas de travestis, con *show* y todo. Bueno, allí es donde Estrella canta boleros y una que se llama la Zarzamora hace un *strip-tease* de cagarse de la risa.

—El Marqués no me habló de eso.

—Claro que no: Ofelia Belén Pacheco y el Marqués son enemigos jurados desde que Ofelia le tumbó un novio al Marqués. Aunque eso fue cuando las guaguas eran de palo... Bueno, pues allí se hacen tremendas fiestas y van todos los travestis de La Habana amigos de Ofelia. A veces hay como treinta.

En el amplio salón, bajo el influjo de la música al parecer propicia de Barbra Streisand, varias parejas de diversa composición habían empezado a bailar y el Conde se fijó en la Estrella, que también cantaba boleros, incongruente desde su altura con su compañero de baile, un negrito de apenas un metro sesenta, al que el Conde supuso mayores proporciones, ocultas de momento. Viki seguía de pie, junto al balcón, y el Conde se alarmó al aceptar que, de no estar advertido, la habría considerado una mujer si no hermosa, al menos apetecible.

En el aire se respiraba una libertad de gueto, pequeña pero bien aprovechada, mientras las manos de los danzantes prodigaban caricias a sus parejas y se escuchaban voces en sordina que hacían eco a la canción. Un escalofrío dañino recorrió toda la estructura del policía cuando descubrió la pareja que se besaba con total impudicia: dos hombres —según códigos jurídicos y biológicos—, de unos treinta años, ambos de bigote y pelo muy negro, unían sus labios para propiciar un tráfico de lenguas y salivas que estremeció al Conde con la violencia de una repugnancia agresiva que trató de vencer terminando de un trago su segunda copa de ron. Supo entonces que había ido demasiado lejos en aquel viaje a los infiernos y que necesitaba otro aire para no morir de asfixia y consternación. El, que era policía y se jactaba de haber visto todas las barbaridades posibles, ahora sentía aquella sacudida dolorosa, nacida del núcleo invariable de sus hormonas masculinas, incapacitadas para resistir la negación más alarmante de la naturaleza. Miró a Poly y trató de sonreír, mientras volteaba su copa verde, como para demostrar que la evaporación estaba haciendo estragos atmosféricos.

—¿Te apunto en la lista de los alcohólicos?

—Ponme como aspirante o como bebedor destacado... Oye, y dice el Marqués que hace días que Alexis no venía por acá.

—Sí, hace rato que yo no lo veía.

—¿Y cuando lo viste te habló de que estuviera enamorado de alguien?

Poly miró hacia arriba, como si buscara la respuesta en la parte visible de los flequillos lacios de su cerquillo.

—Creo que no. Creo que todavía estaba con un pintor que no me acuerdo cómo se llamaba, uno que hacía cosas caladas.

—Salvador K.

—Oye, ¡cómo tú sabes cosas! ¿De verdad tú no eres policía?

—De verdad que no, muchacha... ¿Y qué te dijo Alexis?

—Nada, que estaba aburrido de todo y que, si se peleaba con el Salvador ese, no iba a estar con más nadie. Y se fue enseguida porque iba a la misa de la catedral.

El Conde pensó que seguramente Alexis Arayán llevaba su Biblia, en la que tal vez faltaba ya el pasaje de la Transfiguración.

—¿Por qué te quedaste tan callado? —indagó Poly, oprimiéndole una pierna—. ¿Quieres otro trago?

—No vendría mal. Me gusta tomar al lado tuyo.

Y ella sonrió, poniendo en evidencia toda su picardía.

—¿Te lo tomas en mi casa? Yo vivo aquí al doblar.

—¿Tú no eres travesti?

—Descúbrelo tú mismo.

—Andando se quita el frío —dijo el Conde y comparó

a Poly con un San Bernardo al rescate, que llega en medio de la tormenta de nieve. Evitando mirar a los bigotes besantes, buscó con la mirada al Marqués. No estaba en la sala, y tampoco su amigo anfibio. La cuenta de Poly, pensó mientras se ponía de pie, había quedado incompleta.

El Conde se dejó desvestir sin reclamar el trago prometido y se alegró al ver que su mejor amigo estaba de guardia: pese a los trasteos vespertinos y las sospechas de fraude sexual que aún lo atormentaban, el olor del culito de gorrión lo había despertado. Entonces le quitó el *baby-doll* a Poly y no se asombró con sus teticas, de pezones maduros, reventándose de ganas de ser tocados y mordidos, hasta que registró con cautela dentro del *bloomer* y no halló falsas castraciones, sino un pozo húmedo e invertido en el que se le perdió media mano. Definitivamente alertado por el hallazgo de aquel yacimiento, su compañero de viaje se despabiló, estiró los brazos, bostezó y traqueó sus huesos entumecidos, para caer, como bala con rumbo, dentro de la boca de Poly, tan profunda como sus otras cavidades ya exploradas.

Poly militaba en el club de las preciosistas: sin prisa pero sin pausas se empeñó en la felación poniendo toda su maestría en el acto de barrer con la lengua cada recodo del pene, tragárselo después, sacarlo de nuevo al aire y dejar que se muriera de envidia mientras se dedicaba a tensar los testículos, con el auxilio de sus dientes de gorrión. Fue el Conde el que tuvo que pedir una tregua, alarmado por un inminente derrame y deseoso de profundizar su conocimiento del segundo hoyo de aquella competencia, y empujó a Poly sobre la cama, dispuesto a crucificarla, cuando la mano de la muchacha se interpuso en su destino.

—Ay, mi madre, si yo siempre había querido templarme a un policía. Vamos, debajo de la almohada hay preservativos —dijo, y succionó las tetillas del Conde mientras él encapuchaba al desesperado amigo, molesto por la tardanza de la fiesta.

La penetró como si siempre hubiera estado allí, advirtiendo que le faltaba mucho para llenar aquella ranura que no era de gorrión, sino de ballena blanca, Moby Dick inesperada, pero le satisfizo la maniobrabilidad que le permitían las cien libras de Poly, Poly portátil, fácil de llevar y traer a lo largo y ancho del polietileno que le vedaba una parte considerable de aquella realidad, objetiva aunque invisible. El Conde se sorprendía de su propia energía, atribuible sólo a la falta sistemática de aquellas prácticas binarias. Entraba y salía como Pedro por su casa, se aferraba a un pezón y luego ponía una oreja para que la lengua de la muchacha se la registrara. La saliva corría como los ríos de la vida, convirtiéndolos en serpientes marinas resbalosas y malvadas. Volvió a entrar, consciente de que el telón ya iba a caer, cuando Poly, posmoderna, se le escapó, dando media vuelta sobre la cama y poniéndole en los ojos su trasero de gorrión, crecido por la cercanía y la postura favorable.

—Dame por el culo —pidió ella, y no sonrió.

El Conde miró entonces a su sacrificado camarada, mal vestido pero listo para el combate y se aferró a las nalguitas de Poly, para abrir mejor la entrada de aquella puerta de salida.

—Dios, ¡qué horror! —dijo ella cuando él taladró el boquete. Entonces el Conde se sintió en una medida justa para sus proporciones, Poly polifónica, y se empeñó en su labor mientras oía el lamento inquieto de la muchacha que, entre empuje y empuje, se fue convirtiendo en sonrisa, en risa, en carcajada y en grito que pedía párteme el culo, pártemelo, aunque ya no hubiera nada sano que quebrar sino sólo insistir en una frotación que el hombre trató de hacer interminable. Ay, Poly postrada...

Mas todo es perecedero. El Conde se sorprendió con su propio aullido de macho potente y victorioso, mientras las

carcajadas de Poly bajaban a risa, luego a sonrisa, y termi-
naban en un lamento:

—Dios, qué horror —para agregar, con juicio que el
Conde estimó en pleno conocimiento de causa—: ¡Ay, papi,
pero qué rico tú singas!

Allí estaba el rostro. Casi podía verlo, si alargaba el brazo hasta lograría tocarlo, pero sus ojos y sus manos resbalaban desfallecidas al ser envueltas por velos y redes viscosas que de pronto deshacían sus lazos, lo dejaban escapar, acercarse al rostro, estar a punto de tocarlo, sólo para volver a cubrirlo, alejarlo, negarle la revelación que se deshacía en una nube luminosa de calor, arrastrada por un río sucio, cuando al fin se desvanecía y lo obligaba a despertar, sobreexcitado, al primer timbrazo del teléfono, con la respiración agitada y el cuerpo humedecido por el sudor tristísimo de la incertidumbre. Yo lo conozco, claro que lo conozco, se decía en el tránsito revisionista del sueño a la realidad más objetiva, mientras trataba de saber qué sucedía. Era el teléfono, diáfano y brutal, como el sol que penetraba por las ventanas de su cuarto, imponiendo el calor ya agresivo del nuevo día.

—La madre que te parió —dijo, mientras reptaba hacia el aparato, con los ojos heridos por el resplandor. Levantó el auricular y preguntó—: ¿Qué hora es?

—Las nueve y diez, Conde, las nueve y diez —insistió la voz al otro lado del hilo, tal vez del mundo.

—Coño, Manolo, no oí el despertador, o no lo puse. Ni sé...

—¿A qué hora caíste?

—Como a las cuatro.

—¿Nivel alcohólico?

—Nada, dos tragos.

—Menos mal, porque hay líos: Salvador K. no aparece desde ayer por la tarde.

Al fin el Conde sintió que estaba despierto.

—¿Cómo es eso?

—El Greco y el Crespo siguieron con él. Ayer como a las cinco dicen que salió caminando, como si fuera para el estudio, y entró por el pasillo de una casa que está en Diecinueve y A. Lo esperaron más de una hora y después descubrieron que el pasillo tenía un garaje con salida a Veintiuno. Se esfumó. No está en la casa ni en el estudio.

—¿Ya hablaron con la mujer?

—Sí, pero nada más para preguntarle por él, y también dijo que estaba en el estudio.

El Conde encendió un cigarro, tratando de vencer la última trinchera del sueño, y entonces lo recordó.

—Oye, Manolo, estaba soñando algo rarísimo: veía al asesino pero no podía verlo... Tú sabes, esa cosa extraña de los sueños: cuando creía que iba a verlo, no lo veía, porque además tenía algo así como un disfraz... Me cago en diez, estoy obsesionado con los travestis, la transfiguración, el ánima sola y toda esa mierda.

—¿No era Salvador?

—No sé, no sé, pero ahora sí estoy convencido de que lo conozco, no sé por qué, pero estoy convencido. Mira, ve y habla con la mujer de Salvador, apriétala pero no te pases de rosca y ven a buscarme a las, bueno, cuando termines.

El Conde colgó el teléfono y observó su entorno: sólo había huellas de desastres más o menos antiguos. Ropa en el suelo, una colilla aplastada, el pez *Rufino* nadando en aguas cada vez más turbias. Tengo que limpiar esta pocilga, se dijo, pero se olvidó de la exigencia al observar su propia desnudez, que lo remitió a la aventura erótica de la noche anterior. Dios, qué horror, dice que casi siempre es heterosexual, ¿dónde coño estoy metido?, se interrogó y sonrió mientras se felicitaba por tener suficiente café para otras dos mañanas.

Mientras esperaba, el Conde atrapó al vendedor de periódicos que pasó por la acera con su precioso tesoro informativo bajo el brazo y, como no era cliente habitual, debió pagarle el doble —después de rogar lo suficiente— para obtener el diario. Todavía sin camisa, en el portal de su casa, se dedicó a saludar a los conocidos que pasaban mientras deglutía titulares y picoteaba textos para hacer un resumen noticioso, que le dejó algunas certidumbres. Según las páginas internacionales del periódico el mundo parecía estar bastante jodido, aunque los países socialistas —a pesar de las dificultades y de incesantes presiones externas— estaban decididos a no abandonar la senda ascendente y victoriosa de la historia. Las páginas nacionales, por su parte, demostraban que la isla no estaba nada mal, salvo algún imprevisto, como el del accidente ferroviario que había dejado varios muertos (y que por supuesto no estaba planificado). Incluso se sembraban lombrices, el sacrosanto CAME, el Consejo de Ayuda Mutua Económica prometía resolver los problemas de la telefonía cubana y hasta llovería y habría eclipse de luna en una semana. Esa fue la noticia que más le gustó: el eclipse sería el día del cumpleaños del Flaco. ¿Y cuándo llegará Dulcita? Además, el periódico decía que esa tarde había un recital de poesía del famoso Eligio Riego, y decidió que, como le gustaría hablar con él, llamaría al mayor Rangel para que lo pusiera al habla con su amigo el poeta...

El Conde respiró hasta llenarse los pulmones, en el momento en que un camión arrojaba sus gases indigestos. Pero sintió que la lectura del periódico lo había fortalecido para afrontar un nuevo día de dura labor.

—¿Y dónde puede estar metido ese tipo?

El auto avanzaba, sorteando los baches del último bombardeo nuclear que debió de haber sufrido aquel tramo de la Calzada. Después de recogerlo, el sargento Manuel Palacios le había hablado de su entrevista con la mujer de Salvador K: ella insistía en que su marido había salido hacia el estudio y, si no estaba allí, no se imaginaba dónde podía estar, y le preguntaba, bastante ansiosa, al policía: ¿hago la denuncia en la policía?

—Manolo, ¿tú crees que de verdad ella no sabe?

—No sé, Conde, aquí el sicólogo eres tú. No sé si quería engañarnos.

—¿Y le pediste una foto del tipo?

—Claro. ¿Vamos a circularlo?

El Conde cerró los ojos y dejó caer la cabeza hacia atrás.

—Vamos a esperar un día. A lo mejor aparece él solo y no tenemos que formar más bulla.

—Ojalá, pero no te confíes. Si ese tipo fue el que jodió al mariconcito, se nos puede esfumar, Conde. Coger una lancha para irse, no sé...

—Vamos a esperar un poco más —decidió el teniente, cuando el auto se detuvo en un semáforo. Junto a ellos se había colocado una guagua y, desde su asiento, el Conde vio al chófer del ómnibus. Era un hombre de unos cincuenta años y el policía descubrió que tenía cara de guagüero: miraba hacia la calle mientras, aburridamente, golpeaba el timón con el borde del anillo matrimonial que llevaba en la mano izquierda. Lucía aquella joroba leve pero evidente que dan los años a los chóferes profesionales, y algo en su rostro era capaz de advertir: ese hombre no podía ser otra cosa en la vida: era un guagüero, determinó el Conde, y entonces vio a la muchacha que le hacía señas, pidiendo de favor que le abriera la puerta del ómnibus. Desde su altura olímpica el guagüero pareció pensarlo mucho, para finalmente acceder al ruego, un segundo antes de que la mujer se arrodillara para suplicar en plena calle. Entonces ella sonrió, mientras le daba las gracias y depositaba su moneda en la alcancía, justo cuando el sargento Manuel Palacios puso el auto en movimiento y dejaron atrás la guagua.

—Oye, Manolo, entra en Luyanó, quiero ver al Gordo Contreras.

—¿Al Gordo? —preguntó el sargento Palacios como si no hubiera entendido, aunque el Conde sabía que ése no era el sentido de la pregunta. De pronto la visión del guagüero con cara de guagüero le había hecho sentir la fatalidad de ciertos destinos, ya establecidos desde siempre, y de inmediato recibió como una orden la necesidad de hablar con el capitán Jesús Contreras. ¿De qué? De cualquier cosa. Simplemente tenía que verlo.

—¿Qué pasa?, ¿te dijeron que estaba prohibido hablar con él?

—No, Conde, no jodas, tú sabes que no es eso, es que... Acuérdate de lo que te dije ayer.

—No jodas, tú, Manolo. ¿Tienes miedo?

El sargento suspiró y torció a la derecha.

—Está bien —aceptó, mientras movía la cabeza, negando, para enfatizar su desacuerdo—. Sí, tengo miedo. Te lo dije ayer... ¿Y tú por qué lo haces? ¿Para demostrar que eres un bárbaro y no tienes miedo o porque sí lo tienes?

La casa de Contreras hacía esquina, una cuadra antes de llegar a la Calzada de Luyanó. Era una de las edificaciones viejas y típicas del barrio, con la puerta de salida directamente sobre la acera y unas altísimas ventanas enrejadas, cubiertas del hollín pernicioso de las industrias cercanas. Mucho tiempo atrás, cuando el Conde no soñaba siquiera que alguna vez sería policía y conocería al capitán Jesús Contreras, ya había determinado que no le gustaban aquellas casas chatas ni aquel barrio herrumbroso, demasiado monótono y tan gris, sin jardines ni portales y, desde siempre, con pocos vidrios sanos.

—Quédate tú en el carro —le dijo a Manolo. Bajó y golpeó la aldaba de hierro.

El Gordo Contreras abrió la puerta y se iluminó con una sonrisa a la que el Conde temía como a la muerte.

—Mira, mira —dijo el capitán—, pero mira quién es. Entra.

Y le extendió la mano. Pero esa vez el Conde se dijo que ya era tiempo de luchar por los humildes y los desposeídos de la tierra: el mayor placer del Gordo era exprimir manos, fueran amigas o enemigas, con aquellas palas mecánicas de cinco dedos, capaces de levantar presiones de una tonelada, y hacer que las rodillas del ingenuo saludado se doblaran con el dolor de la presión devastadora de carpos, metacarpos, falanges, falanginas y hasta de pobres falangetas...

—Que tu madre te dé la mano, gordo maricón.

Y fue la explosión. El segundo placer mayor del Gordo era reírse, con aquellas carcajadas retumbantes, de terremoto humano, que ponían a bailar la papada, las tetas y la panza inabarcable y siempre sudorosa del capitán Jesús Contreras, jefe del departamento de Tráfico de Divisas de la Central.

—Eres un hijo de puta, Conde, por eso te quiero. Y ya veo que de verdad tú me quieres a mí. ¿Sabes una cosa? —y volvió a reír, como si fuera inevitable—, eres el primer hijo de puta policía que viene a verme...

Y se rió todo un minuto más, convulsivamente, groseramente, sudorosamente, mientras el Conde miraba hacia el techo, esperando ver la caída mortal de los primeros trozos del cielo raso.

Esto es duro, Conde, duro pero durísimo, te lo juro por mi madre. Mira, hasta me puse el pijama para cumplir con el plan: si me ponen en plan pijama, pues obedezco y me pongo el pijama, pero lo que sí no voy a hacer es rogarle a nadie. Ni al Mayor ni a los investigadores esos ni a nadie, porque yo estoy más limpio que la virgen María. Y si huelo a mierda es porque trabajo en la mierda, me baño en la mierda y vivo en la mierda, como cualquier policía que se respete, y no le voy a permitir a nadie que me embarre con otras mierdas que sí no son mías. No son mías, Conde. No, no, espérate. Eso es lo mejor de todo: no me acusan de ni cojones, pero como hay líos con el tráfico de divisas me quieren envolver a mí en la historia porque dicen que yo debía saber... ¿Saber qué? ¿Saber lo que hacían otros policías que hasta ayer eran buenísimos y ahora están tronados? Lo mío estaba en la calle, partiéndole la vida a los que estuvieran luchándole un fula a los extranjeros y eso lo hice bien, y tú mismo lo sabes. En la calle no se movía un dólar que a mí se me escapara, y si tenía informantes claro que les daba protección, si no quién carajos me iba a informar, ¿no? Ahora, si había cuentas en bancos de Panamá, y había gentes de arriba en otros negocios con dólares, y con tarjetas de crédito y toda esa historia, yo sí no podía llegar a eso, ahí no había negrito de La Habana Vieja ni blanquito bisnero del Vedado ni jinetera de La Lisa que pudiera llegar. Esa historia no es mía ni tiene que ver conmigo... Pero no te preocupes, Condesito, que a mí no hay por donde agarrarme. Todo lo que hay en esta casa es mío, mío porque me lo gané con mi trabajo o porque alguien me lo regaló, y yo no tengo culpa si ese alguien ahora está en desgracia, ¿tú me entiendes? Y tú sabes que a todo el que le dijeron coge, ése cogió, ¿o es mentira? Ahora hasta dicen que si el nivel de vida, que si privilegios indebidos, oye tú eso. Pero ¿qué quieren, monjes tibetanos vestidos con un pedazo de piel de burro? Yo lo que sé es que yo sí no me robé un centavo, ni uno. Bueno, tú me conoces, Conde, ¿verdad? Pero lo más duro es ver cómo la gente que hasta hace dos días casi se me arrodillaba para que yo la ayudara, y se desvivía por ser mi amiga, y me llevaba café a la oficina y decía que Sérpico era un comemierda a mi lado, ahora no quieren ni oír hablar de mí porque yo puedo perjudicarla, yo puedo embarrarla... El único que me ha llamado ha sido el mayor Rangel, para que le dijera si me hacía falta algo, ¿y tú sabes qué le dije? Que a mí sí me roncan los cojones y que no me llamara más si no era para decirme que querían disculparse conmigo. Eso es lo único que acepto yo, Conde: disculpas, homenajes y medallas... No, no me estoy cerrando, pero uno tiene que tener su orgullo, porque si no, ¿qué coño es lo que tiene?, ¿eh?, ¿dime? Y como yo estoy limpio, tengo la moral más alta no que el Turquino, más alta que el Himalaya, qué carajo... Pero esto es terrible, Conde. Nada más llevo un día suspendido y estoy peor que un rabo cuando le cortan el perro. Estoy así, en el aire, sin saber dónde coño me voy a posar. Son veinte años de policía, y lo más jodido es que no sé hacer otra cosa y que de contra me gusta ser policía. ¿Qué coño voy a hacer con mi vida, Conde?, dime, ¿qué voy a hacer? Y ahora hasta soy un apestado, y te voy a decir una cosa: por tu bien no vengas a verme más. Soy yo el que no quiere que vengas, porque tú eres mi amigo, y ahora sí que me lo has demostrado, y por eso mismo no quiero joderte, Conde. Y tú cuídate, que el horno no está para panecitos y cuando le tiran la mierda al ventilador, cualquiera se embarra... Hasta un tipo como tú, que eres hombre y amigo como se dice en la calle... Dame la mano, Conde, no seas maricón. Dámela, por mi madre que no te voy a apretar... Eso es... Te cogí, comemierda... Ja, ja, ja... Eso es para que nunca confíes en un policía, ja, ja, ja.

—Dale, vamos. Vamos. Vamos a cualquier parte menos a la Central —dijo el Conde mientras entraba en el auto y dejaba caer en la acera la colilla del cigarro.

—Ahora mismo llamaron de allá.

—Pero yo no tengo ganas de ir y no voy a ir, Manolo

—lo interrumpió el Conde y pateó el piso del auto, en un gesto de histeria evidente—. Lo que están haciendo con el Gordo es una buena cabronada... ¿Cómo van a acusar a un policía como él? Yo no voy a la Central, Manolo.

—¿Me vas a dejar hablar, Conde?... Llamaron porque Alberto Marqués te anda localizando por algo urgente. Fue eso.

El Conde sintió cómo la plenitud rabiosa del sol de agosto penetraba el parabrisas y le golpeaba el pecho y el estómago. Se ajustó sus espejuelos oscuros.

—Dale, vamos a verlo.

El sargento Manuel Palacios puso el auto en marcha y miró al Conde. Ya conocía demasiado a su compañero como para intentar cualquier razonamiento con él. Prefirió manejar en silencio, hasta detenerse frente al número 7 de la calle Milagros, entre Delicias y Buenaventura.

—Tampoco quieres que te acompañe, ¿verdad? —dijo, y el Conde sintió la acidez de la interrogación final.

—No, prefiero hablar yo solo con él. Creo que es mejor.

El sargento miró hacia el frente: del pavimento se desprendían nubes de calor, como fantasmas danzantes en busca del cielo prometido.

—Pues cógete el caso para ti solo, y de paso quédate con el maricón. Y que te aproveche. Si es que dando tantas vueltas como un perro con lombrices puedes resolverlo... Oye, Conde, tú sabes que yo te aprecio y siempre quise trabajar contigo, pero ya tú no eres el mismo.

—¿Pero qué es lo que pasa, Manolo?

—Pasa todo, Conde. Pasa que tiras los casos a mierda, que parece que te avergüenza ser policía, que haces todo como te da la gana... y que te puedes equivocar.

El Conde encendió un cigarro antes de hablar.

—No seas comemierda, Manolo, que no es nada de eso... Es que yo —y se detuvo antes de completar una justificación que sonaría falsa. Tal vez el sargento tenía razón y lo relegaba y hasta lo excluía de ciertas zonas del caso, pero ya no había remedio: aquel diálogo era entre el Marqués y él, y la presencia del sargento podía cortar la delicada comunicación con el dramaturgo. Es como una pieza de cámara para dos actores, pensó, y dijo—: Tú tienes razón en todo lo que dices y te pido disculpas, pero quédate aquí. Las buganvillas seguían lozanas y petulantes bajo un sol que parecía enfurecido con la proximidad del mediodía, dispuesto a matar toda célula viviente que cayera bajo su férula incendiaria, salvo las de aquellas buganvillas desafiantes. El Conde las observaba con envidia mientras dejaba caer el aldabón que ese día había preferido al timbre con topografía de pezón que nunca escuchaba.

—¡Ah, ah, pero qué eficiente es este policía! —comentó el Marqués mientras abría la puerta—. Nada más llamarlo y ya está aquí.

—Buenos días —apenas dijo el Conde mientras buscaba en la penumbra el sillón que le habían designado en aquella escenografía. Cuando pensó que estaba allí por la muerte oscura de Alexis Arayán, se sintió incómodo y despistado, y se dijo que quizá también era cierto que el caso había dejado de interesarle y en verdad sólo lo movía una curiosidad morbosa por meterse más en el mundo de Alberto Marqués, lleno de sorpresas y tinieblas, como aquella sala.

—¿Se divirtió mucho ayer?

—Sí, la pasé bien —respondió el Conde, sabiendo lo que debía enfrentar.

—Lo esperé en casa de Alquimio hasta las dos, pero mi cuerpo enfermo no resistía más. Hacía muchísimo tiempo que no me daba una trasnochada así.

—Disculpe si lo dejé esperándome. ¿Y por qué me llamó tan temprano? ¿Para regañarme?

El Marqués se acomodó su bata entre las piernas antes de decir:

—Dios me libre de regañar a la autoridad...

—Hoy está bien afilado. ¿Por qué tiene que ser siempre así?

—Ay, disculpe, señor Conde... ¿Está molesto conmigo? Yo lo llamé porque pasó algo que a lo mejor podía interesarle —y bajó la voz, disponiéndose a la confidencia—. Es que esta mañana me volvió a llamar María Antonia.

—¿Y qué pasó ahora?

—Es muy extraño, extrañísimo. Me preguntó si Alexis había dejado aquí una medalla que él usaba. Es una medalla pequeña, de oro, con una circunferencia dentro, en la que está calada la figura del hombre universal de Leonardo. ¿El la tenía en el cuello cuando ustedes lo encontraron?

El Conde puso en marcha la cinta con el recuerdo del travesti muerto en el Bosque de La Habana: lo examinó otra vez, con aquel dramático vestido rojo, la banda de seda en el cuello, el pecho sin senos, y no vio la medalla.

—No, me parece que no la tenía.

—Pues yo tampoco la pude encontrar aquí. El caso es que la madre de Alexis hace varios años compró dos medallas iguales en el museo de Vinci, el pueblo donde nació Leonardo. Una para ella y la otra para Alexis. La de ella se perdió poco después, y nunca la habían encontrado. Y ahora apareció una en un cofrecito que Alexis tenía en su casa. Dice María Antonia que ella nunca la había visto allí, y ahora no sabe si es la de Matilde que estaba perdida o la de Alexis.

—¿Pero Alexis seguía usando la suya?

—Sí, siempre la usaba. ¿Qué usted cree? ¿Que Alexis fue el que se la robó a la madre y la tenía guardada allí, o que dejó la suya allá por algún motivo?

El Conde no pudo evitar una sonrisa al pensar en el enigma propuesto por el Marqués.

—De verdad no pensé que le gustara tanto hacer de detective. A mí me acusan de querer cogerme el caso y el que se lo está cogiendo es usted.

—Ay, no diga eso. Yo sería incapaz de quitarle nada a usted, amigo policía.

El Conde sonrió otra vez y encendió un cigarro. El

Marqués estaba logrando que se reconciliara con el mundo.

—¿Hoy no me ofrece un té? Creo que me hace falta...

—Con todo gusto, amigo policía. Y le voy a echar bastante hielito —dijo el Marqués, y se fue con una carrerita hacia el fondo del escenario, mientras su bata de seda china le acariciaba los bordes afilados de las piernas.

Dios, qué horror, recordó el Conde, viendo aquella figura esperpéntica que de pronto se convertía en su doctor Watson, té en mano, sonriendo satisfecho.

—¿Sabe una cosa, Marqués? Si Alexis puso su propia medalla en el joyero es como si estuviera dando una señal de suicidio. ¿No? Como para organizarlo todo antes de irse. Pero no se suicidó. Tal vez no le dieron tiempo.

—O tal vez provocó su propia muerte... Que es lo que yo creo. Mire lo que encontré en mis estantes.

Y le extendió al Conde una hoja de papel biblia: allí estaba la hoja cortada del evangelio de san Mateo, las páginas 989 y 990, que se iniciaban con el capítulo 17: «Siete días después, toma Jesús a Pedro, a Santiago y a su hermano Juan y los sube a un monte alto, a solas. Y se transfiguró delante de ellos». Y, escrito en un borde, con letra minúscula pero precisa, las palabras: «*Dios Padre, ¿por qué lo obligas a tanto sacrificio?*».

—¿Dónde estaba esto?

—Elemental, teniente Conde, estaba donde debía estar: dentro del *Teatro completo* de Virgilio Piñera que tengo en mis estantes. Mire —y se tocó la sien—: pura deducción.

—Sí, ahí debía estar... Alexis no se travistió por gusto. O estaba loco, o era un místico como usted dice o quiso representar un acto de transfiguración que no sé qué pretendía...

—Pretendía que lo crucificaran, señor amigo policía.

El Conde volvió a mirar la hoja de la Biblia, leyó todo el capítulo y sintió que allí estaba oculta la verdad de la muerte de Alexis Arayán, pero que volvía a escapársele, como el rostro entrevisto en el sueño.

—Sí, tal vez tiene razón. Pero ¿por qué hacerlo de esa forma?

—Pues para mí está claro: porque le daba miedo matarse a sí mismo... Recuerde que Alexis era católico, y el catolicismo condena el suicidio, pero su religión siempre condenó también el homosexualismo. Gracias a él me aprendí la cita del Levítico que dice: «Asimismo respecto del hombre que se acostare con varón, como uno se acuesta con mujer; ambos han cometido abominación: serán muertos irremisiblemente: caiga su sangre sobre ellos»... Para un creyente no es fácil vivir sabiendo que su Dios llamó a Moisés para decirle una barbaridad así, ¿no cree? Pero eso es sólo una parte de la Tragedia de la Vida, como dice un viejo amigo mío, que por cierto no tiene nada de homosexual. Ya hace tiempo que nadie se lo plantea tan judaicamente, por decirlo de algún modo, pero durante muchos siglos ese pecado llamado de contra natura ha condenado la vida de los homosexuales, igual que la idea de que es una enfermedad... Pecado capital, aberración social, enfermedad de la mente y del cuerpo: no es fácil ser maricón en ninguna parte del mundo, mi amigo señor policía, se lo digo yo. Pero le digo más: me han comentado gentes que saben de esto que de los diez millones de cubanos que vivimos en esta república socialista, entre un cinco y un seis por ciento somos homosexuales. Claro, claro, contando a nuestras camaradas las lesbianas. Saque la cuenta, saque la cuenta: si son cinco millones de hombres, y el tres por ciento, digamos, es homosexual, eso le da ciento cincuenta mil, o sea casi un quinto de millón de compatriotas. Como para formar un ejército... ¿Y quiere que le diga todavía más? No me convence esa cifra, porque hay muchísima gente incapaz de confesar que es homosexual, y es lógico, por lo que le dije antes y por la larga historia nacional de homofobia que hemos vivido entre las cuatro paredes de esta isla desde que llegaron los españoles y les pareció cochino y bárbaro lo que hacían nuestros inditos sodomitas mientras se bañaban en apacibles riachuelos con un tabaco en la boca y una yuca en la mano... La experiencia de la vida histórica le puede agregar otros conflictos al drama, policía amigo mío: no olvide que en los años sesenta hubo aquí mismo algo que se llamó UMAP, las famosas Unidades Militares de Apoyo a la Producción, donde confinaban, entre otros seres dañinos, a los homosexuales, para que se hicieran hombres cortando caña y recogiendo café y que, después de 1971, se dictó una ordenanza, otra vez aquí mismo, para que los policías como usted y los fiscales y los jueces la cumplieran, donde se legislaba jurídicamente sobre el «homosexualismo ostensible y otras conductas socialmente reprobables»... ¿Y usted es tan ingenuo que todavía puede preguntarse por qué un homosexual llega a pensar en el suicidio?

En París, en primavera, no se suele pensar en el suicidio. Al menos, yo no. Me sentía tan libre y tan inteligente que no podía imaginar que toda aquella libertad, aquella inteligencia, aquella primavera reveladora me llevarían después a sufrir tanto y a presenciar mi último acto dramático... El Recio me decía que yo estaba desconocido, que nunca me había visto así, tan optimista y tan feliz, mientras íbamos en el taxi hacia la casa de Sartre y Simone, que me habían citado para cenar aquella noche y a los que iba a invitar formalmente para que vinieran a Cuba al estreno de mi nueva versión de *Electra Garrigó*. Esa noche, sin embargo, el destino había decretado que una decisión mía fuera el posible principio de todo. Le comenté al Recio que tal vez era mejor no llevar al Otro Muchacho, pues temía que hiciera una de sus barbaridades, que podían ir desde emborracharse y vomitar en una alfombra hasta querer darle un beso a Jean-Paul por no haber aceptado el Nobel...

Y el Recio me dijo que pensaba igual, que el Otro estaba bien para *travestís* y lugares públicos sin mayores consecuencias, pero no tan bien para la casa de Simone... Fue una cena deliciosa, en la que ni siquiera faltaron las velas: bebimos vino de Burdeos, comimos platillos de quesos franceses combinados con los mejores quesos italianos, y una carne con salsa de champiñones que embriagaba cada una de las papilas de la boca y de la memoria afectiva, incapaz de evocar otro sabor así. Y el helado holandés del postre... Toda la noche hablamos de mi proyecto, les comenté cómo imaginaba el escenario y los vestuarios, y sobre todo la gestualidad que quería imponer a los actores, maquillándolos como máscaras griegas pero con caras muy habaneras, de blancos, mulatos y negros habaneros, tratando de que la máscara los mostrara y no los ocultara, que los revelara interiormente y no velara esa espiritualidad trágica y a la vez burlesca que quería buscar como esencia de una cubanía en la que Virgilio Piñera fungía como máximo profeta, porque para él, si algo nos distinguía del resto del mundo, era poseer esa sabiduría criolla de que nada es verdaderamente doloroso o absolutamente placentero. Mi puesta, les explicaba entonces, sería una estilización extrema de los viejos bufos habaneros del diecinueve y del vernáculo criollo del teatro Alhambra, pero asumidos desde una voluntad trágica y filosófica, hasta dejar sólo su esencia artística, pues al fin y al cabo ése ha sido el gran teatro de la idiosincrasia cubana... Comentaba que por eso también debía ayudarme mucho con la palabra, y no pretender, como el pobre Artaud, buscar un lenguaje escénico sólo apoyado en signos o gestos activos y dinámicos, porque uno de los rasgos más visibles de la cubanía es nuestra incontenible propensión a no cerrar la boca. Como Artaud, eso sí, quería demostrar que, si el teatro no es un juego, sino una realidad verdadera, más verdadera que la misma realidad, debía resolver el problema que siempre significa devolverle al teatro ese rango, para hacer de cada espectácu-

lo una especie de acontecimiento capaz de provocar la per-
plejidad y desatar la inteligencia, sobrepasar siempre el fácil
estado de la recreación digestiva, como decía él... Y la máscara facial debía ser algo esencial en el propósito revelador
de esa máscara moral con que ha vivido mucha gente en
algún momento de su existencia: homosexuales que apa-
rentan no serlo, resentidos que sonríen al mal tiempo,
brujeros con manuales de marxismo bajo el brazo, oportunistas feroces vestidos de mansos corderos, apáticos
ideólogos con un utilísimo carnet en el bolsillo: en fin, el
más abigarrado carnaval en un país que muchas veces ha
debido renunciar a sus carnavales... Lo que quería, ni más
ni menos, era darle proyección poética trascendente, fuera
de un tiempo concreto, pero en un espacio preciso, a una
tragedia que el autor concibió como una disyuntiva familiar: quedarse o partir, acatar o desobedecer, o lo
mismo de siempre, desde Edipo y Hamlet: ser o no ser...
Al final de la noche les conté cómo los travestis de París
me habían dado la clave última de aquel transformismo
espectral que magnificaba la aspiración suprema de la representación, donde el actor muere bajo el atuendo del
personaje y el enmascaramiento deja de ser un acto pasajero y carnavalesco para convertirse en otra vida, más
verdadera por ser más deseada, conscientemente escogida
y no asumida como simple ocultamiento coyuntural... Entonces Sartre, con esa vista de águila que siempre tuvo, se
convirtió en mi oráculo: ¿No es demasiado complejo lo
que te propones?, empezó por preguntar, para decirme
que tuviera cuidado con las revelaciones, pues siempre
proponen diversas lecturas y esa diversidad podía ser peligrosa para mí, igual que el fatalismo esencial que quería
representar a través de una Electra cubana del siglo veinte:
ya había oído decir a ciertos burócratas insulares que el
arte en Cuba debía ser otra cosa y esa otra cosa no se parecía a mi *Electra Garrigó* y su disyuntiva de ser o no ser...
Pero estaba escrito que yo no iba a oírlo: mi decisión era

irrevocable, y así lo contó Plimpton en la entrevista que me hizo y publicó en *Paris Review*.

Regresamos y, esa noche, para continuar la borrachera intelectual y física en que vivía en medio de aquella 'primavera de París, el Recio y yo hicimos el amor por primera y también por única vez, después de casi veinte años de amistad, mientras su tocadiscos hacía girar lánguidos valses de Strauss. Todo era posible, todo estaba permitido, todo era mío, pensaba a la mañana siguiente cuando bebía en la cama el café arábigo que el Recio había colado y escuchamos que tocaban a la puerta. Recuerdo que recordé que no había recordado al Otro Muchacho, excluido por nosotros, y pensé entonces que era él, de regreso al fin de su orgía perpetua, pero el Recio me dijo que el Otro tenía llave, así que abrió la puerta y allí estaba, hierático y tan voluminoso, el inesperado funcionario de la embajada con la noticia que nos soltó desde su gruesa y petulante altura de diplomático inmaculado: el Otro Muchacho estaba preso en una comisaría de Montmartre por escándalo público, agresión y conductas impropias y la embajada no podía asumir ni la fianza ni la representación legal de aquel problema personal...

Otra vez tuvimos que llamar a Sartre, que por suerte no había salido de su casa, y fuimos con él a la comisaría, un sitio horrible donde no había nadie que se pareciera a Maigret y donde no entraba ni un furtivo soplo de la primavera que envolvía al resto de la ciudad: allí la armonía tenía su cárcel y tal vez su guillotina. Pero antes Jean-Paul había hecho un par de llamadas y, cuando llegamos, le entregaron al Otro Muchacho, envuelto en lágrimas y mocos y con la camisa rota, y se resolvió que no hubiera juicio ni fianza, pues todo había sido una pelea un poco exaltada entre homosexuales de dudosa procedencia nacional: el Otro y un indocumentado travesti albanés del que —aseguraba, juraba, gritaba— se había enamorado. Pero el mal mayor ya estaba hecho: el Otro debió presentarse esa tarde en la embajada y le dijeron que iba a regresar a Cuba en el avión que salía a la mañana siguiente. Esa noche el Recio y yo hablamos mucho con él, que lloraba, desconsolado por su amor perdido, asustado por su futuro de escritor representativo que parecía también perdido, y nos pedía perdón, sufriendo por adelantado el castigo que le esperaba en La Habana, donde debía presentarse, dos días después, en la dirección del Consejo Nacional de Cultura que había financiado su viaje a París, precisamente a París, aquella precisa primavera en que soñé que todo era posible, que todo era mío, que el teatro era yo.

—¿Quieres hablar tú?

—Ah, ahora quieres que sea yo el que hable... Cómo tú sabes, Mario Conde...

—¿Quieres o no quieres? —preguntó el Conde, con tono de discusión terminada y el sargento Manuel Palacios movió la cabeza diciendo que sí: es demasiado policía este cabrón para decir que no, pensó el teniente, y abrió la reja que conducía a la mansión de los Arayán. En el jardín, una estrella giratoria lanzaba tenues cortinas de agua sobre la alfombra de césped recién segado, del que se levantaba un aroma que siempre conmovía al Conde: el perfume de la tierra húmeda y la hierba cortada, un olor telúrico y simple que inevitablemente le remitía la imagen de su abuelo Rufino el Conde, con un tabaco agónico pero bien mordido entre sus dientes, rociando con agua la capa de serrín de la valla de gallos, mientras de una radio brotaban controversias de punto de poetas campesinos guajiro. El Conde deseó, en aquel instante en que oprimía el timbre de la casa donde había vivido Alexis Arayán, estar otra vez tras el tablado circular que delimitaba la valla, muy cerca de abuelito Rufino, como en aquellos días en que el mundo entero dependía sólo de las espuelas de un gallo y la habilidad de un gallero para que su animal peleara con cierta ventaja.

Nunca juegues si vas parejo, le había enseñado su abuelo, regalándole en una frase toda la filosofía de una vida.

—Buenas tardes —dijo María Antonia cuando abrió la puerta.

Los policías la saludaron y el Conde le dijo que deseaban hablar con ella y con los padres de Alexis.

—¿Por qué? —preguntó la mujer, que había encendido sus luces de alarma.

—Por lo de la medalla...

—Pero es que —empezó ella y a las luces se unieron las sirenas: peligro inminente, advirtió el Conde.

—¿Ellos no saben que usted la encontró?

La negra negó con la cabeza.

—Pero se tienen que enterar... Esa medalla nos puede decir mucho sobre la muerte de Alexis.

Ella volvió a mover la cabeza, pero ahora para afirmar, y con la mano les indicó que entraran.

—La que está en casa es la señora Matilde.

—¿Y el compañero Faustino?

—Está en Relaciones Exteriores. El lunes debía salir para Ginebra, pero la señora sigue muy nerviosa... —informó entonces y el Conde y Manolo vieron cómo María Antonia, la de los pies alados, salía en su vuelo rasante hacia el interior de la casa, después de indicarle los butacones de cuero de la antesala.

—La vamos a meter en candela, Conde.

—No te preocupes, que esa negra sabe más que tú y que yo...

Matilde tenía el aspecto de una anciana muy enferma. En tres días, desde que el Conde le informara de la muerte de su hijo, la mujer parecía haber vivido veinte años devastadores, dedicados día tras día a mancillar los rasgos de vitalidad que pudiera haber conservado. Ella los saludó, con voz somnolienta, y ocupó otra de las butacas, mientras María Antonia permanecía de pie, como exigía su personaje de criada sumisa. El Conde pensó otra vez que estaba en medio de una representación teatral demasiado parecida a una realidad prefabricada y en la que cada cual ya tenía asignado su papel y su asiento. *El gran teatro del mundo*, qué disparate. La Tragedia de la Vida, más disparate todavía. *¿La vida es sueño?*

—Bueno, Matilde —comenzó Manolo, y era evidente que se le hacía difícil la conversación—, supimos por María Antonia algo que pudiera ser importante para nuestro trabajo, aunque quizá tampoco signifique nada... ¿Me entiende?

Matilde movió apenas la cabeza. Claro que no podía entender, se dijo el Conde, pero decidió esperar. Manuel Palacios tenía el instinto del perro que siempre termina por recuperar el buen rastro. Entonces el sargento le contó el hallazgo de María Antonia y agregó su conclusión:

—Si esa medalla es la suya y Alexis la había escondido allí, pues no hay problemas. Pero si es la de su hijo, creemos que eso puede aclarar algunas cosas...

—¿Como cuáles? —preguntó la mujer, que parecía despertar al fin de un sueño invernal.

—Bueno, todo es una suposición, pero si él puso allí su medalla, fue tal vez porque pensaba suicidarse y no quería que se perdiera... Aunque existe otra posibilidad, quizá menos factible: que alguien la pusiera allí...

—¿Cuándo?

—Tal vez después de la muerte de Alexis —dijo Manuel Palacios, y el Conde lo miró. Me cago en su madre, se dijo entonces el teniente, sorprendido ante aquella extraña posibilidad que no había contemplado. ¿El asesino podía haber escondido allí la medalla?, no, claro que no, trató de decirse el Conde, aunque sabía que sí podía ser. Pero ¿por qué?

—¿Cómo es esa historia, Toña? —preguntó entonces Matilde, sin apenas volverse hacia la negra. María Antonia, desde su sitio dramático, le contó su descubrimiento, muy temprano esa mañana, y su llamada a Alberto Marqués.

Matilde se volvió a observarla y finalmente dijo—: Tráeme la medalla, hazme el favor.

Con sus pasos deslizantes María Antonia se perdió hacia el interior de la casa, mientras Matilde miraba a los dos policías.

—No eran exactamente iguales. Yo diferenciaba la mía y la de Alexis. El hombre de la mía tenía un reborde debajo del brazo izquierdo —dijo, y volvió a un silencio que se fue llenando de ansiedad a lo largo de los minutos en que se demoró el regreso de María Antonia—. Dámela —pidió entonces Matilde; se acercó a los ojos la brillante figura apresada en la circunferencia y dijo—: Esta es la de Alexis —y no había rastro de duda en su voz.

—Menos mal —soltó el sargento Manuel Palacios, traicionado por la intensidad de sus deseos, y el Conde se apresuró a penetrar por la brecha de vitalidad que había demostrado Matilde.

—También queremos preguntarle si está segura de que ésta es la letra de Alexis —y le mostró la hoja bíblica.

La mujer extendió el brazo mecánicamente, para alcanzar los espejuelos que estaban sobre la mesa rinconera, y María Antonia se adelantó para ponérselos en la mano.

—Sí, creo que sí. Mírala tú, María Antonia.

—Es la suya —dijo la criada, sin necesidad de espejuelos, y con la misma seguridad que ya le suponía el Conde en el arte de identificar a los autores de las más famosas Madonas italianas... El teniente observó el cenicero limpio, y esta vez se contuvo. Habló, mirando a las dos mujeres.

—Señora, la medalla, esta hoja arrancada por Alexis y escrita por él, y el vestido que llevaba esa noche son cosas muy extrañas. ¿Alguna vez Alexis habló del suicidio en su presencia?

Usted no puede imaginarse lo que siente una madre cuando descubre que su hijo es homosexual... Es como pensar que todo ha sido en vano, que la vida se interrumpe, que es una trampa, pero entonces una empieza a pensar que no, que es algo pasajero y todo volverá a ser normal, y el hijo que soñó casado y con sus propios hijos, va a ser un hombre igual que los demás, y entonces empieza a mirar a todos los hombres, deseando cambiarlos por su hijo, ese hijo que una se dice que todavía está a tiempo de ser lo que una quiso que fuera. Pero la ilusión duró muy poco, Alexis nunca iba a cambiar, y más de una vez yo hasta deseé que se muriera, antes de verlo convertido en un homosexual, señalado, execrado, disminuido... Sé que si hay Dios en el cielo, yo no tengo perdón. Y por eso lo digo ahora con tanta tranquilidad. Además, después me acostumbré a lo inevitable, y asumí que por encima de todo él era mi hijo. Pero su padre, no. Faustino no iba a admitirlo nunca, y convirtió su desengaño en desprecio hacia Alexis. Entonces prefirió vivir más tiempo fuera de Cuba, y dejarlo a él aquí, con María Antonia y con mi madre. Y eso fue muy duro para Alexis: ¿se imagina usted lo que es sentirse distinto y despreciado en la escuela, en la calle y hasta en la casa, y que su propio padre lo rechace y lo niegue? Un día, a la salida de un teatro, Faustino y yo estábamos conversando con unos amigos nuestros, y Alexis salió, acompañado por un muchacho como él, de unos trece años, y Faustino le volvió la cara, para demostrarle que no quería ni saludarlo. Fue algo demasiado cruel. Y todo eso le fue creando un sentimiento de culpa a Alexis, y lo peor es que yo insistí en curárselo como si fuera posible curar eso o su inclinación por los hombres. Lo llevé a varios siquiatras, y ahora sé que fue un error. Todo eso lo hacía sentirse más infeliz, más despreciado, más distinto, no sé, como si fuera el leproso de la familia. Entonces fue cuando empezó a ir a la iglesia y parece que allí nadie lo humilló, y también empezó a conversar con Alberto Marqués, cuando ese hombre estaba trabajando en la Biblioteca de Marianao, y su vida se fue haciendo por esos rumbos, lejos de mí, de su familia... Ultimamente él era un desconocido para mí. Desde que tuvo la última discusión con su padre y Faustino lo botó de la casa, apenas venía una vez a la semana, a hablar con su abuela y con María Antonia, y algunas veces conversaba conmigo, pero nunca me dio cabida en su mundo. Mi hijo ya no era mi hijo, ¿entiende ahora?, y de eso yo tuve mucha culpa. Ayudé a que fuera una persona triste, sin amor, y a que empezara a decir que tal vez todo era mejor si él nunca hubiera nacido o incluso si se mataba: así mismo me lo dijo él un día. ¿Eso es lo que usted quería saber? Pues me lo dijo... Y ahora, ¿se asombraría mucho si yo le dijera que también estoy deseando morirme?, ¿si le dijera que la muerte de Alexis está creada también con estas dos manos? Dígame, ¿conoce usted un castigo peor que éste?

—Coño, menos mal, parece que va a llover. Bueno, arriba, tú no quieres ser el gran policía. Dime, ¿ahora qué tenemos?

—Bueno, Conde...

—Primero sabemos que es la medalla de Alexis, y eso da dos posibilidades: que él la haya puesto allí o que la haya puesto alguien que entonces tiene que ser el asesino. A ver, ¿quién pudo ponerla allí?

—No fue María Antonia, porque no habría llamado, ni Matilde porque era la única que podía diferenciar las medallas.

—¿Faustino?

—No, Conde, no jodas. Es su padre. Ellos tenían sus problemas, pero tú estás prejuiciado con el hombre. Dame un cigarro, anda.

—Entonces tenemos que aceptar que el asesino es un extraño que entró en la casa para poner allí la medalla.

—Bueno, debe ser, ¿no? El día del velorio y el entierro la casa se quedó vacía.

—No jodas tú, Manolo. ¿Para qué iba a hacerlo?

—Bueno, pues para despistarnos. Acaba de darme el cigarro.

—Toma... Pero el asesino ese no sabía que las medallas eran distintas, ni debía saber tampoco que había dos medallas, ¿no?

—Verdad, a lo mejor no lo sabía. Pero si no fue Alexis el que la puso allí, entonces sí lo sabía.

—¿Y dónde queda tu teoría de que el asesino no tiró el cadáver al río porque nadie lo iba a conectar con Alexis?

—Sí, eso no cuadra bien... A ver, ¿y si Alexis, que sí sabía que eran diferentes, se lo dijo a Salvador, o a otro de sus amantes?... Menos mal que está lloviendo, a ver si se va un poco el calor. Mira, en la casa han entrado en estos días el jardinero, que estuvo ayer; el mecánico de las cocinas de gas, el jueves; el médico de Matilde, tres veces desde la muerte de Alexis; cinco, siete, ocho gentes de la familia de Matilde y Faustino antes y después del entierro; los dos mariconcitos amigos de Alexis, Jorge Arcos y Abilio Arango, ¿no?... A ver, son trece personas, por lo menos.

—Demasiada gente. Buen aguacero, ¿eh?...

—Sí. Aunque el médico tuvo más oportunidades que los otros, ¿no te parece?

—Claro, estuvo un día con Matilde hasta que se durmió. Pero ¿por qué se escondió Salvador K?

—Sí, hasta ahora parece el dueño de la rifa, ¿no?

—Conde, el mecánico de la cocina era nuevo. ¿No sería Salvador?

—No jodas, Manolo, no me aprietes tanto. Imagínate todas las casualidades que hacen faltan para que Salvador se enterara de que hacía falta arreglar esa hornilla y sustituyera al mecánico, pusiera la medalla, y de contra arreglara bien la cocina.

—Conde, tú has visto casualidades peores... De todas maneras, si está huyendo es porque hizo alguna cagada.

—Segurete. Y tenemos la hoja de la Biblia anotada por

Alexis y escondida en el libro de Piñera... «*Dios Padre, ¿por qué lo obliga a tanto sacrificio?*»... ¿Qué te parece esto?

—Ahí sí que estoy en blanco.

—No jodas, Manolo, si es fácil: Alexis sufre y se solidariza con alguien que sufre, ¿no?

—Sí, muy bonito, pero dime una cosa: ¿por qué metió la hoja en el libro ese?

—Pues porque ya él pensaba vestirse con el traje de Electra... Quería montar su propia tragedia. Eso suena bastante maricón, ¿no te parece?

—Si tú que sabes de eso lo dices... ¿Y lo de las monedas? ¿Ya se te olvidó?

—Claro que no, pero sobre eso sí que no tengo la más puta idea. ¿Y tú, genio?

—Lo que te dije: le estaban pagando algo.

—Pero dime qué cosa... Coño, ¿sería una delación?

—Ah, qué se yo. Oye, ¿y qué tú crees de María Antonia?

—Toña la Negra, la de los pies ligeros... No sé qué pensar, pero sí sé algo: esa negra sabe muchísimo más de lo que aparenta. ¿Por qué tú crees que llamó al Marqués y formó este lío con la medalla?

—Para que nosotros nos enteráramos.

—Eso es lo que pienso. Entonces es porque sabe algo que...

—¿La citamos para la Central?

—No jodas, Manolo, tú quieres resolverlo todo metiéndole un huevo en el tornillo a la gente. Si fuera tan fácil nos hubiera llamado a nosotros. Parece que va llover toda la tarde, ¿no?

—Sí, mira cómo está el cielo por el barrio tuyo... Bueno, ¿y qué hacemos mientras aparece Salvador y nos dice que se fue de la casa porque no resistía más a la mujer?

—¿Qué hacemos? Pues pensar, qué otra cosa podemos hacer. Pensar como un par de pensadores que somos... Déjame en la casa, anda.

175

Quiso creer que la lluvia que limpiaba los cristales también limpiaba su mente y lo ayudaba a pensar. Por eso pensaba colocando frente a él la imagen escurridiza y velada que se le presentó en el sueño, tratando de que su ejercicio mental fuera capaz de arrancar la máscara tras la que se ocultaba la verdad. Siempre la verdad. Siempre escondida o transfigurada la cabrona verdad: unas veces detrás de palabras, otras detrás de actitudes y a veces hasta detrás de toda una vida fingida y rediseñada sólo para esconder o transfigurar la verdad. Pero ahora sabía que allí estaba y le faltaba una idea, una luz como de reflector capaz de encender su mente y hacer saltar la putísima verdad. La verdad, se dijo entonces, pensando y pensando, es que me gustaría ver otra vez a Poly Culito de Gorrión, Dios, qué horror, recordó, y aunque sintió deseos de masturbarse se negó terminantemente aquella solución individualista y autosuficiente, ahora que aquel culito era verdadero y cogible, no esa noche, pero sí el domingo, había aceptado ella, porque el sábado voy al ballet, ¿tú sabes?, y si escampaba él aprovecharía para ir al recital de poesía de Eligio Riego, y tal vez podría hablar con el recitante, y pensó también que debía de hacer muchísimo tiempo que no veía al Flaco y que debía contarle su encuentro cercano de primer tipo con aquella loquilla que le había sacado todo el semen almacenado en su cuerpo, mientras decía: ¡Dios, qué horror!, como si todo fuese un error. ¿Cómo sería Dulcita ahora, después de tantos años viviendo en Miami? Tal vez habría engordado y tendría cara de ama de casa y se vestiría con aquellas ropas de brillo que usaban todos los que venían de Miami, o tal vez no, y todavía tendría aquellas piernas hermosas que él trataba de observarle hasta las últimas consecuencias —las nalgas que sabía durísimas, el Flaco se lo había dicho—, cuando su amigo no lo miraba. Si ella seguía siendo linda, perfecta, buena gente, ¿era justo que viera así al pobre Carlos? ¡Si todo se pudiera hacer de nuevo y el Flaco fuera otra vez flaco! Si Dios existía, ¿dónde coño estaba metido el día en que hirieron al Flaco, precisamente al Flaco?... ¿Quién? ¿Salvador? ¿El médico? ¿Y Faustino? ¿El reparador de cocinas? ¿O quizás alguna de las otras diez personas que estuvieron en la casa? ¿Y por qué nunca pienso que el Marqués tenga algo que ver en todo eso? ¿Un cobrador alquilado por el dramaturgo? No inventes, Conde, se dijo. Casi pude verlo, coño, pero se estaba bien allí, después de comerse los dos pescados fritos y un trozo de pan y haber colado más café, sin pensar en que si no compraba más ya para el lunes no tendría café, porque todo era mejor con el fresco que había traído la lluvia que no tenía intenciones de parar. ¿El Gordo Contreras estaría pensando mientras veía llover? Pobre Gordo, si pudiera consultarle el caso seguramente me decía algo que me podía ayudar. Ese cabrón sí es un buen policía. Ahora, sin el Gordo y sin el viejo capitán Jorrín, cuya muerte todavía lamentaba el Conde, el oficio de policía iba a resultar más difícil. ¿A quién consultarle sus incertidumbres? ¿Y dónde habrían metido a Maruchi? ¿Qué habría pasado después entre el Marqués y el Otro Muchacho de nombre impronunciable, deportado a La Habana por ser tan maricón? Necesitaba que el Marqués le contara el final de aquella aventura que en cada capítulo se hacía más personal y menos travestida. ¿Le diría por fin quién era el Otro Muchacho y si de verdad lo había rescabuchado el día en que orinó en su casa? Lo que sí necesitaba saber, pensó mientras veía correr el agua por los cristales, bebía un poco más de café, y encendía otro cigarro y miraba el reloj calculando que le sobraba tiempo para digerir esa noche algunos poemas de Eligio Riego, lo que necesitaba saber era el fin de la historia de Alexis Arayán, tan enmascarado y tan muerto en las hierbas sucias del Bosque de La Habana, perseguidor de una muerte que no se atrevió a ejecutar con sus propias manos, falso ajusticiado divino atravesando su

Calvario sin fama ni cielo, sacrificio construido a su medida de homosexual pecador, trágicamente envuelto en los mantos de una Electra habanera. ¡Qué rico tú singas, papi...! ¿Eso era verdad? Nunca se lo habían dicho, al menos nunca se lo habían dicho así. Y de lo que decía el Marqués, ¿cuánto era verdad? En el mundo sólo el Flaco decía la verdad, y él mismo no le decía siempre la verdad a su amigo. ¿Faustino Arayán diría la verdad? ¿Y la negra María Antonia? ¿Y sería verdad que él, Mario Conde, estaría haciéndose amigo de Alberto Marqués, tan mariconazo y teatral? La verdad podía ser aquel guagüero con cara de guagüero que había visto esa mañana, golpeando el timón con su anillo, mientras decidía si le abría o no la puerta a la muchacha que le rogaba dando saltitos frente al ómnibus. ¿Qué podría ocurrir después entre esas dos personas que no se conocían y quizá nunca se hubieran conocido si la luz roja no detiene la guagua en ese instante preciso? ¿Ese era el azar concurrente? La lluvia seguía cayendo, rodaba blanda por los cristales como las ideas por la mente del Conde, que entonces miró sus manos y pensó, después de tanto pensar, que allí y en el río que lo arrastraba todo estaba la única verdad.

Se levantó y sacó de debajo de la cama la cajuela de la máquina de escribir. La abrió y observó la cinta, medio nublada de moho y perezas. Llevó la máquina a la cocina y la colocó sobre la mesa, y fue a buscar unas hojas de papel. Sentía que había visto un travesti y que la luz de la revelación había llegado a su mente, alarmada de tanto pensar. Metió la primera cuartilla en el rodillo y escribió: «Mientras esperaba, José Antonio Morales siguió con la vista el vuelo extravagante de aquella paloma». Le hacía falta un título: pero después lo buscaría, pensó, porque sentía en la punta de los dedos la urgencia de una revelación. Hundió los dedos en el teclado y siguió: «Observó cómo el ave tomaba altura...».

Fue un acto de magia perfectamente cumplido: la lluvia cesó, el viento arrastró las nubes hacia otros despeñaderos y un sol incendiario de las siete de la tarde regresó para encargarse de correr el telón del día. Pero el olor a lluvia parecía instalado para toda la noche en la piel de la ciudad, venciendo los vahos de gas, los amoniacos de orines secos, los olores equívocos de pizzerías abarrotadas y hasta el perfume de aquella mujer que caminaba frente al Conde, quizás hacia el mismo destino que él. Ojalá.

Con la euforia desbordada a causa de las ocho cuartillas mecanografiadas que llevaba en el bolsillo trasero del pantalón, el Conde olvidó su prisa por llegar al recital y se dedicó, a través de los jardines devastados del Capitolio, a efectuar un exhaustivo registro visual, mientras marcaba el paso prodigioso de aquella mujer no menos prodigiosa en la que confluían todos los beneficios de un entrecruzamiento brutal: el larguísimo cabello rubio, desmayado de tan lacio, le caía sobre unas nalgas cabalgables de negra horra, aquel culo de perfil estrictamente africano, cuyas redondeces de musculatura bien trenzada descendían por dos muslos compactos hacia unos tobillos de animal salvaje. La cara —para más asombro del Conde— no desmerecía aquella retaguardia invencible: unos labios de frutabomba madura dominaban la circunferencia gracias a la brevedad de aquellos ojos asiáticos, escurridos, definitivamente malvados con los que, a la altura del teatro donde terminaría la persecución y el cacheo óptico, miró un instante al Conde con arrogancia oriental y lo descalificó sin derechos de apelación. La muy cabrona sabe que está buena y lo goza. Está tan buena que yo sí la mataría, se dijo el Conde, complacido de poder citarse a sí mismo, mientras atacaba las escaleras fastuosas por donde en otros tiempos subió y bajó de los salones más exclusivos del país todo el dinero de la ciudad, envuelto en batas de seda, trajes de dril y hasta pieles de zorro o de armiño, impensables en aquella villa tórrida donde, sin embargo, cualquier cosa era pensable.

En el segundo nivel del edificio encontró el salón de conferencias y asomó la nariz: al parecer la lectura de poemas había terminado y el poeta, tras la inmensidad agobiante de una mesa, donde reposaban sus papeles, sus espejuelos y un vaso mediado de agua, conversaba ahora con los fieles asistentes a su convocatoria lírica. Eligio Riego andaba cerca de los setenta años y su voz, perezosa y tibia, tenía un ritmo desacelerado que no era vejez ni agotamiento: era poesía.

Desde su distancia furtiva el Conde lo observó con curiosidad sentimental: sabía que, para muchos, aquel hombre de cara doméstica y guayabera empolvada de olvidos, era uno de los poetas más importantes que hubiera parido la isla, y que, en su paso por la poesía, además del tiempo, había legado una percepción única de ese país extraño y desproporcionado en el que habitaban. Aquella grandeza poética, para muchos imperceptible, oculta tras un físico que jamás nadie hubiera perseguido con admiración por las calles de La Habana, tenía, sin embargo, un valor esencial y permanente por la capacidad envidiable de su poderío, hecho sólo de la magia esencial de las palabras.

Ahora, mientras chupaba su pipa renegrida, con ansiedad de fumador con enfisema, Eligio Riego dejaba correr sus ojos pequeños sobre el auditorio, y se permitía una sonrisa, antes de continuar:

—Los católicos somos demasiado serios con las cosas divinas. Nos falta la alegría primitiva y vital de los griegos, los yorubas o los hindúes, que dialogan con sus dioses, y los sientan a su mesa. Siempre me ha parecido injusto, por ejemplo, ignorar el humor que existe en las Sagradas Escrituras, despreciar esa risa sagrada que Dios nos dio y nos comunicó, y hasta olvidar que el primer gran milagro de Jesús fue el de convertir el agua en vino... Clarísima señal divina.

—¿Y los demonios, Eligio? —le preguntó un enterado de la primera fila.

—Mire, joven, la existencia de los demonios atestigua la existencia de Dios, y viceversa. Se necesitan entre sí como se necesita el Bien para que exista el Mal. Y por eso el demonio también está en todas partes: en el infierno y en la tierra, aquí dentro y allá fuera. Además, si nos atenemos a la tradición talmúdica, los ángeles aparecieron el segundo día de la creación. Por tanto, Lucifer, el más bello de todos esos ángeles, existe desde esa fecha tan temprana, ¿no? Luego se produce su caída, la de Lucifer y su banda disidente, y según he oído decir, desde entonces el demonio se caracteriza porque una de cada tres veces parpadea de abajo hacia arriba, no puede andar hacia atrás ni sabe sonarse la nariz; jamás duerme y es impaciente, ambicioso y no produce sombra; su plato favorito son las moscas, pero come otras cosas, siempre muy condimentadas, aunque tiene aversión por la sal... Pero lo que más me interesa de los demonios, por supuesto, es su comprobada capacidad artística: se dice que el maligno es un excelente músico y que sus instrumentos preferidos son los de cuerda. Siempre recuerdo como un ejemplo que el padre Juan Horozco y Covarrubias, en su *Tratado de la verdadera y falsa profecía,* publicado en Segovia en 1588, asegura que tenía pruebas de esa vocación artística del demonio. En su libro el padre cuenta haber visto cómo Lucifer, poseyendo el cuerpo de una pueblerina de pocas luces, compuso unos hermosos versos profanos y, como se dice ahora, los musicalizó, para cantarlos acompañado por una vihuela que, con los brazos y manos de la mujer, tocaba como «el más diestro del mundo»... Ahora, joven, más que los demonios del infierno, me interesan los demonios de la tierra, los hombres demoniacos, como Max Breebohm, el novelista inglés que escribió *Zuleika Dobson,* la apasionante historia de la muchacha más bella del planeta, que causó el mal de amores capaz de provocar el suicidio masivo de todos los estudiantes de Oxford, enamorados de sus diabólicos encantos y, según se desprende de las últimas páginas de la novela, también amada por los de Cambridge, hacia donde se dirigía. Es una de las historias más demoniacas que jamás he leído... —aseguraba Eligio, con los ojos empequeñecidos, cuando el Conde decidió garantizar la tranquilidad de su próxima conversación con el poeta y salió para reservar una mesa en el café El Louvre. ¿Hay añejo? Sí, y también carta oro. No, dos añejos dobles, sin hielo. No, ahora regreso, cuídame la mesa, le advirtió al camarero y fue en busca de Eligio Riego que, pipa en mano, conversaba a la salida del salón de conferencias con una joven que parecía derretirse bajo el calor de sus palabras. ¿Será el mismísimo demonio? No me queda más remedio que interrumpirte, viejo, se dijo el Conde y lo abordó:

—Disculpe, maestro... yo soy el amigo de su amigo Rangel.

Joven, es fabulosa esa historia del travesti muerto con el traje de Electra Garrigó. Y también medio demoniaca, ¿no?, como casi todo lo que tiene que ver con Alberto Marqués, que es más terrible que el mismo Max Breebohm... Mire, joven, él y yo nos conocemos y somos amigos desde los años cuarenta, cuando nos reuníamos para hacer los números de la revista, muchas veces en la casa del Gordo, y siempre he pensado que por suerte había allí un tipo como él, que se burlaba de todo y destruía la atmósfera de solemnidad poética que imponía el Gordo. Para nosotros la poesía era algo perfectamente serio, trascendente, telúrico, como se dice ahora, y para él siempre fue un medio para exhibir ingenio, brillantez, talento. Porque Alberto es uno de los hombres más inteligentes que he conocido, aunque siempre le he reprochado que fuera capaz de sacrificarlo todo por un buen chiste, por una cacería erótica, como él le dice, o por una de sus maldades, demoniacas, claro. Su ruptura en los cincuenta con el Gordo y todo el grupo de la revista fue una de sus maldades más estrepitosas, pero también entonces yo lo entendí: él necesitaba ser él mismo y brillar en solitario. Siempre fue así, un francotirador y un buscador sin descanso, y por eso lamenté el exceso que se cometió con él, cuando lo apartaron de todo, precisamente porque querían castigar su irreverencia y su rebeldía artística. Fue algo intensamente triste, joven, y los diez años que demoraron en tratar de enmendar ese error fue demasiado tiempo para él. Pero lo más extraordinario del carácter dramático de Alberto afloró en esos años difíciles: exhibió una dignidad sencillamente envidiable, y dejó de escribir y de pensar en el teatro, lo que fue todavía más asombroso en alguien como él, que vivía sobre el escenario del mundo... ¿No le ha dicho todavía que él es un exhibicionista?... Así que tenga cuidado con él. Alberto es un actor nato, uno de los mejores actores que jamás he visto y le gusta inventar sus comedias y sus tragedias particulares. Exagera lo que es o da a entender lo que no es, para que en realidad nunca se sepa lo que es... Dice que es su modo de defenderse. Quizás ese mismo carácter suyo es la razón de que nuestra amistad crezca mejor a distancia: preferimos respetarnos antes que envolvernos. Creo que puede entenderme. No, no. Lo mío, no, lo mío fue diferente: es que siempre he sido católico, aunque no soy un místico como su travesti y mucho menos un beato, nada de eso: como ve, tomo ron en cantidades considerables, fumo mis pipas, y nunca he podido negarme a la contemplación a veces desesperada de la belleza de una muchacha en flor, porque estoy convencido de que no hay otra belleza terrena que supere ese calor que brota de la juventud. Total, somos hijos del tiempo y del polvo, y ni la poesía nos va a salvar de eso. De otras cosas tal vez, pero del tiempo que nos toca a cada uno, de ése no. Por eso creo que la vida debe disfrutarse en los términos de la propia vida, siempre y cuando ese disfrute no entrañe perjuicios al prójimo, ¿verdad? Pero en una época se estimó que no era apropiada la visión del mundo y de la vida que teníamos los escritores católicos, que nuestra fidelidad estaba empañada por fidelidades espirituales irrenunciables y por tanto no éramos confiables, además de ser retrógrados y filosóficamente idealistas, ¿no?, y nos apartaron discretamente. No, nada como los casos de Alberto y otra gente. Es que se confundió el compromiso social con la individualidad mental y entonces el extremismo nos puso en su lista de méritos a alcanzar: éramos ideológicamente impuros y, para algunos, perjudiciales y hasta reaccionarios, cuando ya parecía demostrada la preponderancia de la materia, como por ahí se dice. Alguien con mentalidad moscovita pensó que la uniformidad era posible en este país tan caliente y heterodoxo donde nunca ha habido nada puro, y se desató entonces una histeria contra la literatura que dejó varios cadáveres en el camino y varios heridos que andan por ahí llenos de cicatrices... Pero mi salida de escena fue voluntaria: yo no podía renunciar a algo en lo que siempre había creído (una querida costumbre, diría Alberto) y tampoco confundir lo circunstancial con lo esencial. En cualquier caso me hubiera traicionado a mí mismo si me hubiera dejado vencer por lo pasajero o, más aún, si hubiera aparentado un cambio, como hizo mucha gente... Por eso acaté el silencio pero no dejé de escribir. El Marqués es distinto, como ya sabrá si ha hablado un par de veces con él: su sacrificio extremo tiene algo, o diría que mucho, de tragedia teatral. Pero, le repito, no se deje confundir por lo que dice, y trate de ver la verdad en lo que ha hecho: resistió todas las injurias, pero se quedó aquí, aunque sólo sea, como dice él, para ver la suerte final de los infames que lo hostilizaron... Es que él pide, al menos, la reivindicación de la venganza, aunque es incapaz de transformarla en actos físicos u ofensas públicas. Mire, joven, también le aconsejaría que de ser posible no se deje confundir por todas estas aventuras desagradables y por las historias que ha escuchado sobre cualquiera de nosotros: los escritores y artistas no son tan diabólicos como a veces se cree o se hace creer. ¿Nunca le han hablado de las infamias y trapacerías que ocurren entre los empleados de un banco, o entre los obreros de una fábrica de inocentes compotas o entre los sosegados miembros de una misión diplomática? ¿Entre ustedes, los policías, no pasan cosas así? Lo que quiero decirle es que no tenemos la exclusiva del chismorreo, el oportunismo y la ambición. Como en todos los sitios, el Bien y el Mal están mezclados entre los hombres y aun dentro de cada hombre. Joven: ¿qué más le puedo decir, además de agradecerle este añejo que nadie catalogaría de demoniaco con el que hemos calentado nuestra conversación en este sitio en que tan bien se está?... Tal vez usted, por algún defecto profesional, se haya confundido de persona y buscara en mí otra opinión, pero yo profeso dos fidelidades inalterables en mi vida: la amistad y la poesía. Mientras viva escribiré poesía, no importa si se publica o no, si vence en juegos florales o no, si me reconocen por ella o no. Y la amistad es un compromiso voluntario que uno hace y, si lo hace, debe cumplirlo: aunque no pensemos igual de muchas cosas, Alberto Marqués es mi amigo y cuando alguien, como usted o como cualquiera, me pregunta por él, lo primero que le advierto es que es mi amigo, y pienso que con eso lo he dicho todo. ¿No le parece, joven?

Mientras esperaba, José Antonio Morales siguió con la vista el vuelo extravagante de aquella paloma. Observó cómo el ave tomaba altura, en una vertical insistente, y después plegaba las alas y hacía unas piruetas extrañas, como si en ese instante descubriera la sensación vertiginosa de caer al vacío. Luego remontaba el vuelo y se perdía detrás del edificio, para retornar al pedazo de cielo visible desde aquel ángulo del patio, donde José

Antonio esperaba por las cuentas del colector. Entonces pensó que en sus veintiocho años como guagüero nunca había visto palomas mientras aguardaba los resultados de la colecturía y sintió con más fuerza la certidumbre de que iba a matar a aquella mujer.

Hasta ese día José Antonio se había comportado como una persona equilibrada y responsable, que nunca había pensado en matar a nadie, al menos fría y premeditadamente. Algunas veces, mientras conducía el ómnibus y sufría las imprudencias y cañonas de otros chóferes, se había sentido tan agredido que podía imaginar, incluso, que cargaba una lupara, vista en alguna historia siciliana, y desde la ventanilla de la guagua ejecutaba al malvado violador de sus derechos de vía. Pero incluso aquellos imaginarios juicios sumarísimos se fueron haciendo más espaciados en los últimos años, en la medida en que José Antonio se acostumbraba a convivir con los chóferes imprudentes, cuya existencia ya le parecía tan común como la de hormigas en el azúcar o rosas en un rosal. ¿O sería que estaba envejeciendo?

Por eso le extrañó tanto aquel repentino mandato de su conciencia: iba a matar a aquella mujer, a esa precisa mujer, y nada en el mundo podría impedirlo. La necesidad se presentó tan diáfana que José Antonio temió que todo fuera la trampa de un amor nacido a primera vista. No podía ser otra cosa, se dijo mientras firmaba la tarjeta de la recaudación diaria y calculaba que si había recogido 47 pesos con 35 centavos, eso significaba que frente a la alcancía del ómnibus ese día habían pasado 947 personas, sin contar a los empleados de la empresa que le mostraron su pase y los inevitables cabrones de siempre, que hacían hasta actos de magia para no pagar o depositaban arandelas y chapas en lugar de monedas. En cifras redondas: mil personas, y sólo la cara de aquella mujer, de unos treinta a treinta y cinco años, más bien simpática, un poco flacucha quizá, vestida con pulcritud pero sin elegancia y apenas maquillada, se había instalado en su memoria y, para colmo, acompañada de un mandato que le volvía a parecer inapelable: sí, iba a matarla.

Cuando llegó a su casa, José Antonio repitió una rutina que completaba la de su trabajo en la guagua: entró por el pasillo del costado, hacia la terraza, dejó su cojín de guagüero sobre una silla y se lavó las manos, enjabonándose hasta los codos, con esmero de cirujano. Pensaba que era el único modo de arrancarse la suciedad peligrosa de las guaguas, donde monta todo el mundo, los enfermos y los limpios, los sucios y los sanos, los infectados y los recién nacidos con olor a colonia. Recogió su cojín, silbó mientras atravesaba la puerta del fondo, y encontró a su esposa, como siempre a esa hora, entre el fregadero y la cocina. Le dio un beso en la mejilla, recibió el suyo, le preguntó si Tonito había regresado de la escuela y celebró el olor del sofrito, mientras ella le preguntaba cómo le había ido y él le decía que bien. Comieron, hablaron de lo mismo de siempre —el dinero que no alcanzaba, lo malo que estaba el transporte, el calor que no cedía, la posibilidad de que ella volviera a trabajar en la fábrica—, y él durmió sus dos horas de siesta. Se levantó, calzó las chancletas de goma, tomó el café recién colado por su esposa y se sentó en la terraza a leer el periódico del día, cuando pensó otra vez en aquella mujer condenada y trató de olvidar la certeza de que iba a matarla.

A la mañana siguiente la mujer no apareció. José Antonio Morales recordaba que la había recogido en su tercera vuelta (salida del paradero: 8 y 16 a.m.), en la parada de San Leonardo y 10 de Octubre (8 y 29 a.m.). Su ausencia, sin embargo, no le produjo alivio ni lo preocupó demasiado, pues sabía que de todas formas no podría olvidarse de ella y estaba decidido que iba a matarla. La ausencia de la mujer duró otros seis días, hasta que el martes —el mismo día en que la había visto, la semana anterior—, ella apareció, con su falta de elegancia, su escasez de maquillaje y una carpeta desbordada de libros y papeles que José Antonio no había observado en el encuentro anterior, y echó su moneda en la alcancía, sin mirar siquiera al chófer que había decidido que la iba a matar. El la miró, como miraba a todos los pasajeros, cerró la puerta y arrancó, para incorporarse a la calzada enorme y más bien sucia de 10 de Octubre, antes llamada de Jesús del Monte.

Esa noche, mientras veía el noticiero de televisión, José Antonio se dijo que la idea de que la conocía de antes y por eso deseaba matarla no tenía sentido. En realidad, hasta el martes anterior nunca la había visto, y tal vez hubiera vivido toda su vida sin verla si, tres semanas atrás, durante la última escogida de los turnos de salida de la segunda mitad del año, no hubiera tomado la inesperada decisión —para él, para su esposa, para el resto de los guagüeros—, de cambiar su salida de la ruta 4 por una de la ruta 68, que empezaba dos minutos más temprano que su turno habitual, y terminaba tres minutos después, a la 1 y 27 de la tarde. Fue una decisión tan impensada como irrebatible, a la que José Antonio trató luego de buscarle justificaciones: ganaba 32 centavos más por día, quizá se había aburrido del trayecto de la ruta 4, el personal que viajaba en la 68 era un poco diferente, los minutos que se empleaban atravesando el reparto Apolo eran agradables... Tal vez el día de la escogida hacía tanto calor en el local de reuniones y él se sentía tan incómodo con sus manos sin lavar. ¿O sería que estaba envejeciendo? Sí, ya tenía cuarenta y siete años y cuando empezó como guagüero, recién salido del servicio militar, apenas tenía diecinueve, y todo ese tiempo había sido chófer de la ruta 4: desde entonces, cada día cinco vueltas a La Habana durante once meses seguidos, conduciendo por las mismas calles, a las mismas horas, con las mismas paradas y hasta recogiendo a las mismas gentes que se fueron haciendo sus amigos al paso de los meses y los años, y asistió a bodas, ingresos en hospitales, algunos cumpleaños y hasta varios entierros de aquellos pasajeros habituales, sin pensar jamás en matar a ninguno de ellos. Nada había alterado lo previsible y mucho menos lo lógico en todo ese tiempo: a los veintiuno se había casado, luego tuvo un hijo al que le puso su nombre, su madre murió tranquila, mientras dormía, poco después de cumplir los sesenta y dos, y a él nunca lo llamaron para ir a combatir a Angola, a pesar de que un día de 1975 lo habían citado y, de acuerdo con su especialidad militar, le dijeron que pertenecía a la reserva de artilleros de la unidad 2154 y le preguntaron si estaba dispuesto a combatir como soldado internacionalista donde la Revolución lo enviara, y él dijo que sí. Aquella noche José Antonio durmió tranquilo, después de hacerle el amor a su mujer, en la posición que siempre empleaban: ella se encabalgaba sobre él, se introducía el pene y así, mientras su vagina rodaba por la longitud del miembro, la columna vertebral de José Antonio, maltratada por los años como chófer, descansaba recta sobre el colchón. El resto de la semana también durmió tranquilo, aunque la noche del lunes creyó sentir cierta ansiedad por el encuentro que esperaba tener a la mañana siguiente. Pero cerró los ojos y a los cuatro minutos cayó, como la paloma extravagante, en el vértigo del sueño.

Cuando uno trabaja veintiocho años como guagüero domina a la perfección, casi sin pensarlo, todos los trucos necesarios para sobrevivir en el oficio: las mentiras que se le pueden decir al inspector que lo sorprende con varios minutos de adelanto; los modos de responder a los pasajeros iracundos, sabiendo cuándo se puede tomar la ofensiva o cuándo se impone dar una excusa o incluso simular que no se oyó la ofensa; cómo pedir café en algún punto de venta que exista en el recorrido, sin necesidad de hacer la cola; o cómo entablar relación con alguien, según el sexo, la edad y los intereses que uno tenga.

José Antonio la vio bajo la señal de la parada, con su carpeta en los brazos, junto a otros tres pasajeros. Entonces detuvo el ómnibus diez metros antes del grupo y los obligó a caminar hacia él. Ella fue la última en subir y, cuando fue a echar la moneda, sin duda molesta por aquella parada fuera de sitio, él dijo: Creo que voy a tener que trasbordar. Si le hubiera dicho algo concreto, como: Los frenos están malos, o: Es que había un bache, o algo así, la conversación sólo se entablaría si ella hubiera sido una persona muy locuaz. Pero el enigma que él le había propuesto era infalible. Ella se detuvo junto a él, sostenién-

dose en una barra vertical, y preguntó: ¿Por qué? Mientras le explicaba que la banda de frenos de la rueda delantera derecha tenía problemas, él le pidió la carpeta para acomodarla sobre la pizarra del ómnibus y supo al fin que ella era profesora, de inglés, en una secundaria básica de Luyanó y que ese día empezaba sus clases en el segundo turno, a las 8 y 55, y esa guagua la dejaba allí a y 42, con el tiempo justo para llegar y entrar en el aula, y si él trasbordaba el carro...

El resto de septiembre y todo octubre, cada martes, ella montaba con él, él le pedía la carpeta, y conversaban durante trece minutos, que sirvieron para saber que ella se llamaba Isabel María Fajardo, tenía treinta y un años y estaba divorciada, sin hijos, y era profesora desde hacía bastante tiempo, y que se consideraba una persona aburrida. Además, le dio la dirección de su casa, y el tercer martes de octubre lo invitó a que algún día fuera a tomar café. Después de las seis siempre estoy allá, le dijo.

Aunque pensó en ir a un siquiatra, José Antonio descartó enseguida la idea: no estaba loco ni mucho menos, y su decisión de matar a Isabel María no era siquiera una sentencia personalmente adoptada, sino un mandato que él había recibido. ¿Un mandato de quién? Tal vez un cura o un babalao pudieran darle la respuesta, pero un siquiatra no. El único problema era que él se consideraba un ateo total, sin expectativas de un más allá. Lo que más le preocupaba, sin embargo, era entender por qué tenía que ser, precisamente, a Isabel María. En realidad, si lo necesario era matar a una persona, tal vez podría escoger a alguien mejor, a una gente que odiara o que le desagradara, o a un enfermo que incluso le agradeciera su acto piadoso o, mejor, a un ser dañino del que la sociedad se alegraría de ver ejecutado por un vengador anónimo y voluntario. De esos tipos indeseables conocía a varios. Entonces, ¿por qué a ella? Después de siete martes y aproximadamente noventa y un minutos de conversación, aquella mujer no había logrado despertarle ningún sentimiento especial: ni odio, ni amor, ni deseo, ni repugnancia, nada que jus-

tificara el empeño (¿el mandato?) de matarla. Ella, como él, era uno de esos millones de seres anodinos que poblaban la tierra, que vivían en el país, ahora mismo, gastando sus días honradamente, sin excesivas euforias o rencores, sin mayores contradicciones con la sociedad o la época, sin ideas políticas definidas ni proyectos individuales ambiciosos. Trabajaba, comía, dormía, sufría un poco su soledad pero sin tormentos aparentes y, según le había confesado ya, le encantaba pasar las horas oyendo música, clásica o popular. ¿Por qué? Tal vez precisamente por eso, pensó entonces: por ser nada... Pero ¿ya lo sabía antes de conocerla?

Lo más curioso, se decía cuando pensaba en que debía matarla, es que no tenía prisa por hacerlo, ni tampoco un plan definido y estuvo a punto de convencerse de que no sería un asesinato alevoso ni premeditado, sino un accidente fatal mientras él conducía la guagua. Pero luego comprendió que no: iba a matarla, con sus propias manos, un día, tal vez cercano.

José Antonio era un buen lector del periódico: todas las tardes le dedicaba más de una hora, y reflexionaba sobre cada noticia o comentario, con la intención de que no se le olvidara: ocurrían tantas cosas en el mundo, todos los días, que la memoria apenas existía unas veinticuatro horas, para darle espacio a nuevas noticias, a nuevos sucesos. Esa tarde de jueves leyó con mucho interés una información sobre el sida y las pocas esperanzas inmediatas de hallarle un antídoto, a pesar de los esfuerzos de miles de científicos en todo el mundo. Pensó: si existiera Dios, esto sería un castigo divino. Pero si no existe, ¿por qué pasan estas cosas en el mundo? Él, que no solía ser demasiado reflexivo, concluyó entonces que, viniera de donde viniera, aquella plaga era un castigo contra el amor. Le gustó tanto su idea que, mientras se duchaba, se la comentó a su mujer y le dijo después: Voy a darle una vuelta a tía Angelina, sabiendo que iría a tomar el café que Isabel María le había ofrecido los dos últimos martes.

Llamó a la puerta y esperó, pensando en cómo se sentía: *No estoy nervioso, no estoy ansioso, no sé si es hoy cuando la voy a matar*, terminaba de decirse cuando ella abrió. Seguía flacucha, sin maquillaje, y lucía más pulcra que de costumbre, con el pelo húmedo y recién lavado, y no pareció demasiado sorprendida cuando lo invitó a entrar. Ella llevaba una bata de baño, bastante recatada, y de algún lugar de la casa brotaba una música triste de aquellas que José Antonio nunca hubiera podido identificar y de la que luego ella le informaría: es el Réquiem, de Mozart. Pasaron hasta la cocina, pues él le dijo que venía a tomar el café que ella le había prometido. Ella preparó la cafetera, y se sentaron a la mesa. Era un lugar limpio y bien iluminado, donde José Antonio se sintió tranquilo, como si ya lo conociera. Mientras saboreaba el café, comprendió que no sabía qué iba a suceder en los próximos minutos: ¿intentaría hacer el amor con ella?; ¿se iría cuando terminara con el café?; ¿le contaría, incluso, que iba a matarla? Entonces le miró a los ojos: Isabel María también lo miraba a él, con ojos de mujer adulta, preparada para cualquier contingencia y le oyó decir: *¿Viniste para acostarte conmigo?* Y él le dijo: *Sí*.

Isabel María estaba desnuda bajo la bata y, cuando se dejaron caer en la cama, ella se subió sobre él, se introdujo el pene y puso su vagina a rodar sobre la longitud del miembro, como si supiera que aquella posición permitía que la columna vertebral de José Antonio, maltratada por sus años de chófer, descansara recta sobre el colchón. Fue un acto correcto y bien sincronizado, que los satisfizo a los dos.

Entonces ella le contó: *Desde que te vi por primera vez, dos semanas antes de que empezáramos a hablar, sabía que íbamos a hacer el amor. No sé de dónde salió esa idea, ni por qué. Pero sabía que tú ibas a hablar conmigo y que algún día ibas a venir aquí, a tomar café... Todo era muy raro, porque cuando te miraba no encontraba nada que me gustara demasiado y además creía que continuaba enamorada de Fabián, el director de la escuela. Pero era como un presentimiento muy fuerte, como una necesidad, como un mandato, qué sé yo*, dijo, y lo besó en los labios, en las tetillas, en el vientre abultado y en la cabeza todavía morada de su miembro. Y ahora estás aquí. Lo que más me preocupaba, siguió, era por qué tenías que ser tú... A mí me pasó algo parecido contigo, le confesó él, y sintió deseos de tomar café. Voy a buscar más café, le dijo.

Abandonó la cama, y antes de salir hacia la cocina, miró por un minuto la desnudez de Isabel María: dos senos pequeños, de pezones enrojecidos y un triangulito de cabello oscuro, casi lacio y mal peinado. Se sirvió café, encendió un cigarro y, fumando, regresó al cuarto, con un cuchillo en la mano. Se lo hundió en el pecho, debajo del seno izquierdo, y ella apenas se movió. ¿Por qué?, se preguntó otra vez, antes de apagar el cigarro en el cenicero que estaba junto a la cama y decidir que debía vestirla para que no la encontraran desnuda. Entonces, cuando movió la almohada de Isabel María, sintió el peso frío del cuchillo que ella había dispuesto para cumplir, tal vez, su propio mandato. En ese instante José Antonio recordó que debía apurarse, pues su esposa odiaba comer sin él.

Mario Conde, 9 de agosto de 1989

—Salvaje, te falta el título...
—Deja eso, deja eso. Dime, ¿qué te pareció el cuento?
—Descojonador.
—¿Nada más?
—Y escuálido.
—¿Y conmovedor?
—También.
—¿Y te gusta?
—Está terrible.
—¿Pero está terrible por bueno o por malo?
—Por bueno, tú, por bueno. Déjame darte un abrazo, maricón. Coño, si por fin volviste a escribir.

El Conde se inclinó sobre la silla de ruedas y se metió entre los brazos abiertos del Flaco Carlos: se dejó estrujar contra el pecho sudado y grasiento de su amigo. Saber que podía escribir y que lo escrito le gustaba al Flaco Carlos era una combinación demasiado explosiva para la sentimentalidad del Conde y sintió que estaba a punto de llorar, no sólo por él, sino por el futuro imposible de imaginar sin aquel hombre que desde hacía veinte años era su único-mejor amigo y a quien la vida le había premiado tanta bondad, tanta inteligencia, tanto optimismo y tantos deseos de vivir con una bala en la espalda, salida de algún fusil nunca reconocido, oculto tras cualquier duna del desierto de Namibe.

—Te felicito, salvaje. Pero fíjate, mañana me traes una fotocopia o no me mires más la cara. Te conozco, tú, y eres capaz de amanecer un día diciendo que es una mierda y rompes el cuento.

—Está bien, viejo.

—Oye, pero esto hay que celebrarlo, ¿no? Mira, coge veinte cañas en la gaveta. Pon diez tú y compra dos pomos de Legendario, que hoy sacaron en el bar de Santa Catalina.

—¿Dos botellas?

—Sí, una para cada uno, ¿no?

—¡Dios, qué horror! —dijo el Conde.

—Eh, ¿y ese dios con horror? Muchachón, no te asienta demasiado andar con maricones, oye cómo estás hablando.

—Sí, algo se le pega a uno. Un culito de gorrión, por ejemplo.

—¿Y esa descarga?

—Na, luego te cuento. Voy a partir los dos pomos. No te me muevas de ahí, ¿está bien?

—Oye, aguanta, aguanta. Le voy a dar a leer el cuento a la vieja y, si le gusta, prepárate a comer bien.

—¿Y si no le gusta?

—Arroz y tortilla.

Josefina se sopló la nariz con su pañuelito, y dijo:

—Ay, mi hijo, pobre muchacha, que la maten así, por gusto. A ti se te ocurre cada cosa, chico. Y ese pobre guagüero... Pero me conmovió y como este hijo mío dice que es el mejor cuento cubano del mundo, así dice él, pues me inspiré un poco y me puse a pensar qué podía hacerles de comida para que no se tomen el ron con la barriga vacía, y lo que hice fue una bobería, lo primero que se me ocurrió, aunque creo que está quedando rico: un pavo relleno con congrí.

—¿Un pavo?

—¿Relleno?

—Sí, si es muy fácil de hacer. Miren, ayer compré el pavo y como hoy descongelé el refrigerador, todavía estaba suave, así que lo bajé y lo adobé mientras terminaba de descongelarse. Al adobo le puse ajo, pimienta, comino, orégano, hojas de albahaca y perejil y claro, naranja agria y sal, y lo bañé bien, así por dentro y por fuera con ese mojo. Después le eché por arriba bastante cebolla, así, en ruedas grandes. Lo bueno es dejarlo un par de horas adobado, pero como les veo cara de hambre... Entonces, como ya tenía puestos los frijoles negros en la candela, me puse a prepararles un buen sofrito: cogí dos lascas de tocino y las corté en trocitos y las puse a freír, y en esa grasita eché más cebolla, pero bien picadita, ajo machacado y bastante ají, y fuá, le eché el sofrito a los frijoles cuando estaban casi blandos y después les puse una taza de vino seco, para que queden aciditos así, como a ustedes les gustan, ¿no?

—Sí, sí, a mí me gustan.

—Y a mí también.

—¿Y qué más?

—Bueno, entonces le eché el arroz blanco para hacer el congrí, y le puse laurel, un poco más de orégano, así al desprecio, un tin de sal, y un aguacero de cebolla picada en cuadritos. Entonces esperé a que el arroz se secara, pero sin que el grano se ablandara todavía, claro, y lo apagué y con ese congrí rellené el pavo, para que se termine de cocinar allá dentro, ¿verdad? Mira tú, ¿tú sabes lo que no tenía? Palillos de dientes para cerrarlo... Así que le puse unos tallitos de naranja agria, que son bien duros... Y, claro, lo metí en el horno, así que no se desesperen, que eso demora su poco. Tómense su traguito tranquilos, que a las nueve y media debe estar ya. Echame aquí un poquito de ron a mí... Así, poquito, ya, ya, Condesito, que me voy a emborrachar...

—¿Y cuánta gente come de eso, Jose?

—Como el guanajo tenía como ocho libras, debe alcanzar para diez o doce gentes... pero con ustedes dos... Bueno, espero que quede algo para el almuerzo de mañana. Voy a echarle un vistazo.

—¿Oíste eso, salvaje? Esta vieja está loca.

—Y lo que yo me pregunto es de dónde coño ella saca todo eso... Lo único que no tenía eran palillos de dientes.

—No seas tan policía, tú. Dame un trago... Este ron está bueno para agarrar un buen peo y salir volando.

—¿Qué te pasa, Flaco?

Carlos bebió más ron y no contestó.

—¿Sigues con el lío de Dulcita? —preguntó el Conde, y su amigo lo miró un instante.

—Huele, huele, ya el guanajo se está cocinando —dijo, escapando por una tangente propicia—. Oye, ¿tú sabes lo que viene bien después de una jama así?: un buen tabacón. Un Montecristo o una cosa así, ¿verdad?

—Sí, coño, claro que sí, un Montecristo —dijo el Conde y vació de un trago todo su ron—. Tiene que ser un Montecristo —dijo, mientras veía al fin el rostro presentido en el sueño, del que un río sucio, de pronto enfurecido, precipitaba la caída de la máscara, una máscara hecha de mil mentiras tras la que se le había escondido la verdad—. Sí, ésa tiene que ser la verdad.

No hay crimen que pague esto, fue la conclusión filosófica más elaborada a la que pudo arribar mientras sentía la frialdad del agua sobre su espalda. En la boca aún le navegaba, ácido y opulento, el recuerdo vivo de toda una pálida botella de ron Legendario, aunque le sorprendió descubrir que tenía hambre y muy poco dolor de cabeza. ¿Cómo es posible? En la cocina, después de tragarse un par de duralginas, miró con alarma cómo el embudo de la cafetera se tragaba sus últimas reservas de café y, mientras esperaba la colada y la llegada del sargento Manuel Palacios, se puso su viejo *blue-jean* —estás muerto de sed, se dijo, observando los efectos de un mal color hepático encartonado sobre la tela a la altura de los muslos y en los bolsillos— y salió al portal de la casa, como cada domingo, a respirar un poco la nostalgia por la vida de un barrio también travestido, transformado, definitivamente distinto, en el que se había sentido feliz o desgraciado, en dosis similares, muchos otros domingos de su vida, desde que tenía conciencia de esa vida. Las campanas de la iglesia no doblaban por nadie desde hacía muchísimos años, y de la panadería cercana nunca había vuelto a flotar aquel perfume vital del pan horneado, ¿de qué hacen ahora el pan, que ya no huele como antes? Pero comprobó que, a pesar de las ausencias, era un día sencillamente esplendoroso: la lluvia fuerte de la tarde anterior había barrido las suciedades del cielo y de la tierra, y el brillo del sol se imponía sobre cualquier duda oscurecedora. Un buen día para jugar pelota (¿también al interés?), pensó el Conde, y regresó por el café y bebió una taza grande, que debía arrastrar con su laboriosidad amarga los últimos fantasmas del sueño, el alcohol y el dolor de cabeza. Cuando encendía el cigarro, sintió el claxon que lo reclamaba en la calle. Con la camisa abierta, salió a la acera, y cuando abrió la puerta del auto, saludó al sargento Manuel Palacios.

—Bueno, tú dirás —masculló entonces Manuel Palacios, haciendo evidente su disposición a obedecer.

—¿Te jodí el domingo?

—No, no, claro que no.

El Conde sonrió. Esto es lo único que me faltaba, se dijo ahora, pensando que él también hubiera preferido no trabajar el domingo y quedarse en su casa, durmiendo, leyendo, o incluso escribiendo, ahora que había vuelto a escribir. Pero dijo:

—Vamos para la Central, el Viejo está allá... Oye, ¿se supo algo de Salvador?

—No, nada todavía.

Manuel Palacios puso el carro en marcha, sin mirar a su jefe, y a la altura de la iglesia el Conde decidió darse por vencido.

—Mira, Manolo, se me ocurrió algo que puede acabar con toda esta historia. Por eso te llamé.

Esperó en vano alguna pregunta de su compañero y entonces continuó:

—¿Te acuerdas que entre las cosas que recogieron en el lugar donde mataron a Alexis había un pedazo de tabaco Montecristo? —y esperó. No esperó demasiado.

—¡Coño, verdad, Conde! ¿Tú crees...? No, no, eso no puede ser. ¿El padre...?

—Vamos a ver si encontramos el cabo del Montecristo que le regalé al Viejo, y que el laboratorio nos diga si pueden saber que son iguales. Si nada más son parientes lejanos, creo que Faustino Arayán se ganó la rifa con una sola papeleta.

Definitivamente convencido de las razones del Conde, Manuel Palacios oprimió el acelerador y el auto cabeceó, receloso.

—Dale suave, que hay tiempo.

—No, mientras más rápido se resuelva esto, más rápido me voy para el carajo... Si tú vieras la niña que ligué ayer...

Mientras Manuel Palacios le contaba las bondades de su nueva prometida —a veces las llamaba así, aunque no hubiera una sola promesa, ni siquiera soñada, y por la cuenta del teniente era la número dieciséis en lo que iba de año—, el Conde trató de imaginar lo que había sucedido en el Bosque de La Habana la noche del día de la Transfiguración, y se dejó vencer por su incapacidad fabulatoria: ¿qué cosa habrá pasado? ¿Un padre que mata a su hijo?, ¿y las dos monedas?, se decía cuando el sargento Palacios enfiló hacia el parqueo de la Central, plácido y soleado, como todo en aquel domingo de agosto.

Decidido a aprovechar la tranquilidad del día de descanso, el Conde esperó el elevador que debía venir vacío, para evitarse por una vez la escalada hasta el último piso. Pero, cuando las puertas metálicas se corrieron, el Conde sintió como un golpe en el pecho: dentro del ascensor venían tres hombres, vestidos con traje de campaña, sin grados militares en los hombros, que clavaron sus ojos en él. Su mente, puesta a decidir en los escasos segundos que se le ofrecían con la puerta abierta, ordenó al fin que debía dar los buenos días y montar en la caja metálica, en lugar de salir corriendo hacia las escaleras, como deseaba. Los hombres le devolvieron el saludo y el Conde les dio la espalda, y dirigió su mirada hacia la pizarra que marcaba los pisos. Sentía sobre su piel el escozor de la observación de que era objeto: tal vez aquellos tres mismos hombres habían sido los que interrogaron al sargento Manuel Palacios y le demostraron que sabían vida y milagros de Mario

Conde. Tal vez esos mismos tres hombres fueron los que decretaron la suspensión de su amigo, el Gordo Contreras, y hasta sacaron de la Central a la pobre Maruchi. Tal vez eran los emisarios de un nuevo Apocalipsis: el Conde los imaginó con largos trajes de inquisidores, dispuestos a encender piras y emplear potros de torturas. La ley antinatural del policía que vigila a otro policía tenía allí a tres de sus indeseables pero inevitables ejecutores, a los cuales el Conde se lamentaba ahora de haberles dado algo, aunque fuera algo tan elemental como los buenos días, cuando sintió que el ascensor frenaba en el tercer piso, los hombres le pedían permiso y abandonaban el cajón diciéndole: Hasta luego, teniente, y él, mientras estiraba la mano y marcaba otra vez el cuatro, se negaba a responderles, como su dignidad le exigía.

Cuando entró en la antesala desierta de la oficina del mayor Rangel, el Conde descubrió que la cara le ardía como cuando alguien lo golpeaba y se le desataban entonces aquellas furias homicidas, de toro ciego que sólo atina a embestir. Decidió esperar a que el vapor maligno se diluyera en su sangre y entonces avanzó hacia la puerta de cristal y escuchó una voz. El Viejo hablaba por teléfono, concluyó al no oír respuestas, y llamó levemente a la puerta.

—Dale, entra —dijo el Viejo—. ¿Cómo este cabrón sabe cuándo soy yo?

El Conde lo saludó con la mano y esperó a que su jefe terminara de escuchar. El Viejo dijo que sí dos o tres veces, y colgó el auricular como si temiera romperlo. El Conde observó que, pese a ser domingo, el Mayor vestía su uniforme. Algo malo estaba sucediendo.

—No hay paz, Conde, no hay paz —dijo y miró por los ventanales—. ¿Y tú qué haces hoy aquí? ¿Por fin viste ayer a Eligio? Y tu caso, ¿ya resolviste el caso?

—Creo que estoy en eso.

—¿Cuántos días llevas en esa mierda de caso?

—Cuatro.

—¡Cuatro días y ahora crees que estás en eso!

—Me hace falta algo de usted... —y descubrió una sonrisa escéptica en los labios de su jefe—. No se preocupe, es muy sencillo. ¿Ya usted se fumó el Montecristo que yo le regalé el otro día?

—Sí, ¿por qué? —se sorprendió Rangel, y al fin se volvió a mirar al Conde.

—¿Y dónde está el cabo?

—¿Pero qué es lo que te pasa, Mario?

—Necesito ese cabo de tabaco. Es que tengo una idea...

—Tú con una idea. Qué raro... Mira, debe de estar ahí en el cesto, porque ayer no sacaron la basura —dijo el Mayor y levantó del suelo el cesto de los papeles y exclamó—: Aquí está. Lo conocí por el lomo... ¿Y para qué tú quieres esto, Conde?

El teniente recibió el pedazo de tabaco, consumido hasta más allá de donde solía llevarlo el Mayor. Observó que la boquilla estaba masticada, medio deshecha, y concluyó que el Viejo lo había disfrutado, aunque mientras fumaba debió de estar ansioso o molesto para morderlo así.

—En media hora le digo, Mayor —prometió, y salió de la oficina, imitando a Rangel con el tabaco en la mano.

—No te juegues conmigo, Mario —escuchó mientras salía.

—Bueno, Conde, esto no es definitivo ni mucho menos, pero se pudiera decir que estos dos tabacos tienen el mismo origen. Espérate, eso no quiere decir nada más que están hechos con una hoja similar, aunque es evidente que no los torció la misma persona. Este, el del Bosque, que es el más grande, tiene una torcedura un poco más apretada y parece que lo encendieron una sola vez, pues acumuló menos contenido de alquitrán y nicotina hacia la embocadura, además de que está a medio fumar y a lo mejor por eso no le quitaron la marquilla. No, de huellas nada. Un poco de tierra, nada más. Pero acuérdate que en una misma caja pueden ir tabacos hechos por más de una persona, porque según salen, los van acomodando en la caja. Pero de lo que sí estoy seguro es que son de la misma calidad de tabaco y, si fuera posible asegurarlo, creo que son hasta del mismo tabaco, de la misma cosecha, quiero decir, aunque eso no significa nada.

—Entonces, ¿no puedo decir que son hermanos esos dos cabrones tabacos?

El hombre del laboratorio miró al Conde y sonrió:

—Pero, ¿por qué tienes que emparentarlos así? Tienen el mismo origen y punto. Pero no me pidas que te diga que son hermanos ni de la misma hoja o de la misma mata.

—Y si te traigo otro tabaco de esa misma caja, ¿tú crees que puedas tener algo más seguro?

El hombre del laboratorio miró los restos de los dos tabacos, abiertos en banda como para una autopsia.

—Eso podría ayudar bastante, la verdad.

—Pues yo te lo consigo. ¿Hasta qué hora tú trabajas hoy?

—No te preocupes, estoy aquí hasta las cuatro de la tarde, pero si te hace falta, te espero. ¿O para qué son los amigos?

El Conde salió al corredor y descendió un piso por las escaleras, en busca de su cubículo. Iba mordido por el aliento impertinente de sus prejuicios y deseaba hacerlos realidad, lo más rápidamente posible. Entró en su pequeña oficina y encontró a Manuel Palacios blandiendo un papel en la mano.

—Mira esto Conde: ya localizamos a Salvador K.

—Ya se me había olvidado el bicho ese. ¿Y dónde está?

—Apareció en el Cerro. Viviendo un nuevo romance.

—¿Con una mujer?

—Casi casi, pero no..., no llega a ser mujer. Dice el Greco, que fue el que habló con él después que lo localizaron, que el gallo le dijo que si ya todo el mundo sabía lo suyo con Alexis, pues no se iba a esconder más y que iba a vivir su vida como debía. Dice que el tipo parecía de lo más feliz de haberse vuelto maricón de capa y espada. ¿Qué te parece?

—Creo que es el único que ha ganado algo con todo este lío, ¿no?

—¿Y qué hacemos? ¿Lo traigo para acá?

—Déjalo que goce por ahora... Después vemos si nos hace falta hablar con él. Pero que le mantengan la vigilancia.

—Eso fue lo que pensé —dijo Manolo, y guardó el papel con la dirección en una carpeta que estaba sobre la mesa y al que le habían escrito, con letras rojas e irregulares: *Alexis Arayán/Homicidio/Abierto.*

—Vamos ahora a jugarnos la última carta. Dame el teléfono.

El sargento aproximó el aparato al ángulo del buró en que estaba el Conde y lo observó marcar, mientras encendía un cigarro.

—¿María Antonia?... Sí, soy el teniente Mario Conde... ¿Cómo está usted? Mire, María Antonia, nosotros necesitamos que usted nos haga un favor... No, es muy sencillo... Nosotros queremos hablar con usted... No, no. Le estoy diciendo hablar, hablar sobre algunas cosas de Alexis, porque sabemos que usted y él se querían mucho y que usted lo veía con más frecuencia que Faustino o Matilde, ¿no es verdad?... Sí, yo también preferiría que fuera aquí... ¿Está bien? Yo voy a mandar a buscarla... ¿Dónde? Anjá, en la esquina de Treinta y dos, cómo no... Ah, María Antonia, voy a pedirle otro favor. ¿Usted pudiera traerme un tabaco de la caja de Montecristos que está en la mesita de la sala?

—Gracias, María Antonia —dijo el Conde cuando la negra abrió su cartera y le dio el tabaco. Lo miró detenidamente, como admirado por su belleza pálida y sin nervios de excelente habano cultivado en Vueltabajo y sonrió, al entregárselo al sargento Manuel Palacios—. Entre, por favor —y le abrió la puerta del cubículo. Ahora los pies de María Antonia no parecían tan ligeros como otras veces; más bien tenía la pisada cautelosa de un animal acosado, y el Conde adivinaba una lluvia de dudas en la conciencia de la mujer, que se volteó a ver si la puerta estaba cerrada. Otra vez sintió líporis por ella, cuando le señaló una silla, le habló del calor que hacía en la calle, de la vista apacible que tenía desde la ventana de su cubículo y de que por eso lo prefería a las oficinas grandes que daban a la otra ala del edificio, y le preguntó al fin si ella era casada.

—No, soltera —afirmó la mujer, que con su floreado vestido de los domingos, la carterita sobre las piernas, el pelo recogido bajo un pañuelo de falsa seda y sus labios pintados de un rojo sangriento, parecía escapada de una escena de *El color púrpura*, pensó el Conde.

—¿Y desde cuándo conoce a la familia Arayán?

—Desde el año 56, cuando empecé a trabajar con ellos. Matilde y Faustino estaban recién casados y por esa época vivían en Santos Suárez, con la mamá de Matilde, que era viuda. Después de la Revolución quise irme de la casa, quería hacer mi vida por mi parte, sin nada que ver con ellos y pensé buscarme otro trabajo, pero ya había nacido el niño y estaba encariñada con él y lo fui posponiendo y posponiendo, hasta hace cuatro días, cuando pasó eso... Ahora creo que sí me voy, pero no sé adónde. Como siempre viví con ellos no tengo ni casa, ni derecho a jubilación... Tendría que ir a casa de mi hermano y aquello allí es un infierno, con su mujer, tres hijos y ni sé cuántos nietos.

—¿Se sentía bien con los Arayán?

—Sí, Fabiola, la mamá de Matilde, siempre se llevó muy bien conmigo, y yo quería al niño como si fuera mi hijo. Durante muchos años nosotros tres vivimos solos en la casa, sobre todo acá en Miramar, cuando a Faustino empezaron a darle trabajos fuera de Cuba. El niño estaba más tiempo conmigo y con la abuela que con los padres, y salíamos mucho, íbamos al cine, al teatro, a los museos, porque Fabiola había sido profesora en la universidad y era una mujer muy culta. Faustino dice que por culpa de nosotras él salió así, bueno, usted sabe, pero le juro que yo lo crié como hubiera criado a mi propio hijo... Es que el niño era así, tan desvalido y tan cariñoso, y Faustino lo presionó tanto y lo amenazó tanto, hasta lo golpeó más de una vez, que yo creo que Alexis se vengó de él de esa forma. Ellos tenían una relación muy difícil, para ser padre e hijo. Hasta llevaban varios años sin hablarse...

—¿Qué piensa usted de Faustino?

María Antonia buscó un pequeño pañuelo en la cartera y se limpió el sudor del labio superior. El aire del cubículo se perfumó con el vuelo del pañuelito y al Conde le dio un poco más de lástima aún: aquella mujer tenía gestos de aristócrata, perfectamente asumidos, que resultaban incongruentes con su actitud sumisa en la casa de los Arayán. ¿Cuántas de sus verdaderas aspiraciones y aptitudes había ocultado durante años, postergando su propia vida, para seguir junto al niño ajeno que había adoptado como propio?

—Creo que no me corresponde... —fue, al fin, su respuesta.

—Dígame algo —insistió el teniente—. Todo va a quedar entre nosotros.

—Bueno, ¿qué quiere que le diga? El es una gente de mucha confianza en el gobierno, usted sabe, por eso viaja tanto y ha sido embajador y todo eso. Conmigo siempre se ha llevado bien, aunque nunca ha sido como Fabiola o Matilde, usted sabe. Y yo nunca le he perdonado a él cómo fue con el niño. El pobre muchacho llegó a tenerle miedo al padre. Por eso, cuando se fue de la casa, yo me alegré muchísimo, y habíamos decidido que si él llegaba a tener su propia casa, yo me iba a vivir con él.

205

Cuando vio correr las lágrimas sobre las mejillas negras de María Antonia, el Conde pensó que ese final de telenovela le desbordaría su cuota dominical de lástima. Se recriminó por haber confundido en un momento el rostro del amor con la máscara de la sumisión y trató de imaginarse la soledad sideral de aquella mujer, con una vida equivocada de tiempo y de lugar, cuya única razón para vivir debía de ser aquel travesti estrangulado al que había criado y atendido como a su propio hijo. El Conde se puso de pie y la dejó llorar: supuso que su dolor debía de tener proporciones semejantes a su inabarcable soledad. Entonces la oyó pedir perdón, justo cuando miraba el reloj y calculaba que Manuel Palacios debía de estar al llegar, y más que nunca quiso ver la V de la victoria en las manos del sargento. Por María Antonia, por el infeliz Alexis, y hasta por el Marqués y por él mismo y sus queridos prejuicios. Tanto lo deseó que la puerta del cubículo se abrió para dejar pasar el esqueleto evidente de Manuel Palacios, en cuya mano derecha se había formado una uve.

—María Antonia —dijo entonces, y regresó a su asiento, frente a la mujer, que ya devolvía el pañuelito a la pequeña cartera—, hace días que tengo la sensación de que usted quería decirnos algo que tal vez tenga que ver con la muerte de Alexis. ¿Estoy equivocado?

La mujer lo miró a los ojos.

—No sé por qué se imagina eso.

—Más que imaginármelo, estoy seguro, sobre todo desde ayer, cuando llamó a Alberto Marqués y le contó que había encontrado la medalla en el cofrecito de Alexis. No sé por qué, pero también estoy convencido de que usted sabía que ésa era la de Alexis y que llamó al Marqués para que él nos llamara a nosotros. ¿Estoy equivocado?

—Bueno, yo no estaba segura...

—Déjeme ayudarla, porque usted es la única que nos puede ayudar ahora, si es que sabe algo, como pienso... Oiga bien: muy cerca del cadáver de Alexis apareció un pedazo de tabaco Montecristo que, según el laboratorio, es muy probable que pertenezca a la caja que Faustino Arayán tiene en la sala... Eso y la medalla de Alexis puesta en su cofre no son pruebas de nada, pero pueden decir muchas cosas. ¿Me entiende?

Con cada palabra del Conde, la cabeza de la mujer se había hundido un poco más, como si el mundo le hubiera dejado todo el peso de la verdad sobre su cuello y ella sólo quisiera mirar, mientras cumplía el castigo, la carterita que sobaba con sus dos manos nudosas. El Conde esperó sintiendo cómo se desvanecían sus esperanzas, derrotadas por el miedo, hasta que vio cómo el peso se disipaba y la cara de María Antonia subía, para encontrarse con sus ojos suplicantes. Los de la mujer brillaban, aunque no parecía que fuera a llorar.

—En el pantalón que él usó esa noche había dos hilos de seda roja. El lo metió en la lavadora, pero yo lo saqué porque era de mezclilla azul y podía manchar la otra ropa. Me extrañó porque tenía un poco enfangados los bajos y por eso lo revisé... Me cago en la madre que lo parió —dijo, y el Conde se sorprendió con la fuerza de la voz, el brillo maligno de los ojos y la crispación homicida de las manos de María Antonia, la de los pies ligeros—. Entonces fue él. Hijo de puta —dijo, pronunciando todas las sílabas, y entonces rompió a llorar, aristocrática y desconsoladamente.

—Le traigo un regalo, pero no es para fumar —advirtió el Conde y colocó, sobre el buró del mayor Rangel, la bandeja con tres sobres transparentes en los que se veían los tabacos trucidados.

—¿Qué coño es eso?

—Debe de ser la prueba número dos para el juicio contra Faustino Arayán por el homicidio de su hijo, Alexis Arayán.

El mayor Rangel golpeó su buró con la palma de la mano.

—Pero ¿qué es lo que tú estás diciendo?

—No se haga el sordo... El gran Faustino mató a su hijo en el Bosque de La Habana. ¿Entendió ahora?

Sin embargo, para que el mayor Rangel lograra entender, el Conde tuvo que contarle los resultados de su conversación con María Antonia Galarraga, la comprobación de que Faustino tenía sangre del grupo AB y la historia de la medalla con un reborde debajo del brazo y la existencia de dos fibras de seda roja en un pantalón enfangado de ese mismo Faustino Arayán.

—Pero lo que no entiendo todavía es por qué lo mató —se mantuvo incrédulo el mayor Rangel.

—Eso nada más lo saben él, Alexis que ya no habla y Dios, que cada vez aparece menos pero que estuvo dando vueltas por esta historia... Por lo que sé, Mayor, puedo suponer que Alexis le hizo, le dijo, le exigió o le recordó algo tan terrible a su padre que Faustino decidió matarlo. Parece que el muchacho estaba enloquecido y pensaba en el suicidio, y culpaba a Faustino de toda su tragedia personal. Mire lo que escribió en esta página de su Biblia... Entonces se vistió de mujer y fue a encontrarse con él, tuvieron una discusión y Faustino lo mató. Así de simple.

—Pero ¿este país se ha vuelto loco? —preguntó entonces el Mayor, y el Conde pensó que ése era su momento.

—Parece que sí. Debe de ser el calor. Mira lo que le hicieron a Maruchi y al Gordo Contreras...

El Viejo se puso de pie.

—No empieces, Conde, no empieces —y ahora su voz flotó cansada y amarga—. ¿Lo que le hicieron al Gordo? ¿Tú sabes por qué yo estoy ahora aquí? Pues por el capitán Contreras..., porque el capitán Contreras se cagó fuera de la taza, Mario Conde, y lo tienen cogido por todos lados.

El Conde trató de sonreír. El Viejo era un mal bromista, por eso nunca se permitía hacer un chiste. Pero ahora tenía que ser un chiste.

—¿Y esa locura, Mayor?

—Ninguna locura, Conde. Para empezar, tráfico de divisas, soborno e investigaciones trucadas. Para seguir, extorsión y contrabando. Y tienen un montón de pruebas. ¿Qué te parece?

El teniente Mario Conde buscó un cigarro en el bolsillo y, aunque sus dedos tocaron la cajetilla, fue incapaz de sacarlo. Su amigo, el capitán Contreras, uno de los mejores policías que había conocido. No, pensó, no puede ser.

—Eso es una mierda que le quiere hacer esa gente —dijo, resistiéndose todavía.

—La mierda la hizo él, y me la hizo a mí. Por su culpa a mí me van a registrar hasta los pelos... Mira, déjame callarme —pero no se calló, sólo cambió de voz: más cansada y amarga todavía—. La cagó, Conde, la cagó, y eso no tiene perdón... Esta mañana Fiscalía les dio la orden de arresto y ya fueron a buscar a Contreras. Así van las cosas... Yo creo que tú me conoces: yo confiaba en el capitán Contreras, igual que confío en ti, y metí las manos en la candela por él, las metí hasta el hombro y dos veces impedí que lo investigaran, y puse mis grados, mi cargo y hasta mis huevos en esta mesa para prohibir hasta que se sospechara de él... Pero ellos eran los que tenían la razón, Conde, y yo no. Así que ahora me toca responder por haber confiado en Contreras. ¿Sabes lo que significa eso? Que para mí esto se acabó...

—Me voy para mi casa, Viejo —dijo el Conde, y dio media vuelta.

—Aguanta ahí, tú no te vas para ningún lado. Tú terminas este caso, ¿qué coño es lo que te pasa? ¿Tú no eres policía? Pues pórtate primero como un hombre, y luego como un policía. ¿Entendido?

Al fin el Conde pudo sacar el cigarro, lo encendió y le supo de mierda. Decidió sentarse, porque un cansancio infinito había invadido sus músculos y su mente. El Viejo seguía siendo el mismo hombre al que admiraba y respetaba, y no se merecía que él se comportara como un niño. ¿También joderían al Mayor? No, eso sí no quiero ni imaginármelo, pensó.

—Y ya que te interesa tanto el destino de Maruchi, oye esto: ella también es de Investigaciones Internas y fue el agente que sembraron aquí para que empezara toda la investigación desde ese cabrón buró que está allá fuera, delante de mi puerta y de mi oficina. ¿Te gusta esa historia?

—Es escuálida y conmovedora —se le ocurrió decir, y movió la cabeza: otra máscara que se caía—. Bueno, Viejo, vamos a terminar esto: ¿cómo resolvemos el caso? ¿Voy y lo meto preso y le doy dos patadas por el culo al Faustino ese hasta que me cuente las mil y una noches, o tienes que llamar a alguien y explicarle todo esto?

El Mayor miró con apetito los restos de tabaco guardados en los sobres. Entonces buscó en su gaveta y sacó otra de aquellas brevas negras y musculosas que había estado fumando en los últimos días.

—Tengo que llamar, Mario. Esto es una bomba, y tú lo sabes. Incluso, hasta en Ginebra puede sonar esto cuando Arayán no vaya a la conferencia sobre derechos humanos... Sí, este país se ha vuelto loco. Mira que hacer tabacos en Holguín y de contra ponerle Selectos... Me cago en la madre del Gordo Contreras...

Lo único que lamentaría el teniente Mario Conde, oficial investigador de la Central, Departamento de Homicidios, sería perderse la cara de Faustino Arayán en el momento en que lo detuvieran, acusado de haber asesinado a su hijo y condenado, mucho antes del juicio, a perder todos sus créditos y todos sus viajes, toda su historia impoluta y sus guayaberas brillantes, una embajada muy cerca del cielo y aquellos tabacos deliciosos, una mansión en Miramar y dos autos en el garaje, el sabor del caviar y del whisky —a mí que me encanta el whisky y nunca puedo tomarlo—, las amistades poderosas y la criada que, para su desgracia, le lavaba la ropa y siempre se la registraba, para acumular evidencias sobre sus veleidosas aventuras sexuales, cada vez menos estables, aquella misma criada que esta vez no había cumplido sus deberes y decidió guardar el pantalón enfangado con el lodo del río y del que pendían dos hebras de una seda roja podrida por la humedad y los años de censura... El Conde se preguntó si lo llevarían a una cárcel de presos comunes. No, seguramente no. El era Faustino Arayán, y para insatisfacción del Conde, no lo encerrarían en un reclusorio con asesinos de todas las especies y aficiones, capaces de obligarlo a limpiar sus celdas y sus atrasos sexuales y ponerle su culo rosado como un florero, sin siquiera pagarle con dos monedas de cobre... Por lo demás, se alegraba de haber terminado con la investigación y poder regresar a su melancolía compacta y a su angustia por el café que nunca le alcanzaba, a pensar en Poly y en el próximo cuento que debía escribir, en el cumpleaños del Flaco dentro de cuatro días, a observar el desorden establecido de su casa y a pensar que siempre todo pudiera haber sido distinto: incluso que el Gordo Contreras hubiera sido distinto. ¿Qué le harían al Viejo?, se preguntó, y no quiso ni pensar en la respuesta que imaginaba.

Dos capitanes, vestidos de civil, habían llegado al filo del mediodía y el Conde les explicó los detalles del caso y les entregó las magras pruebas incriminatorias: tres tabacos destripados, una medalla con la figura calada de El Hombre Universal, dos monedas amarillas y una página con un par de capítulos bíblicos en los que se revelaba a los hombres la esencia divina del hijo putativo del carpintero José y se anunciaba el carácter de su sacrificio ingente, en el Reino de Este Mundo. Luego les señaló dónde quedaba el laboratorio en el que seguían analizando las hebras de seda y el fango del río Almendares. Los oficiales lo felicitaron por la rapidez y la eficiencia con que había conducido la investigación y le aseguraron que se revisaría su suspensión temporal, que se necesitaba gente como él. Y le explicaron —aunque estas explicaciones sobran, usted es policía y lo sabe— que aquél era un caso de connotaciones especiales y que requería un tratamiento especial. El Conde dijo que sí, y ellos no imaginaron que él, mientras abría la puerta y salía al pasillo, sólo lamentaba perderse la cara de Faustino Arayán cuando le fueran arrancando las tiras de la máscara que al final se había convertido en su propio rostro. ¿Lloraría? ¿Pediría perdón? ¿Se arrodillaría, inclinando toda su compacta petulancia? Sí, le gustaría estar presente para ver aquella escena, el derrumbe en alud de ese hombre capaz de juzgar y condenar, de clasificar y desechar, de aplastar a personas y vidas como moscas impertinentes con sus rígidos criterios morales y políticos. ¿Derechos humanos? Que se joda, se lamentó al fin, otra vez, pues se perdería aquella última escenificación después de haber trabajado tanto en toda la obra... Y entonces pensó que, en realidad, le quedaban pendientes otras lamentaciones adicionales: le hubiera gustado saber, por ejemplo, qué le había dicho Alexis a su padre, qué palabras capaces de provocar su ira homicida, y saber también todo lo que cargaba la mente de Alexis Arayán mientras vestía las galas impropias de Electra Garrigó, la noche suicida en que salió a fabricar su muerte, aunque sí sabía que aquella verdad se había perdido para siempre con los miedos, los odios y la vida misma de aquel travesti ocasional. Y le hubiera gustado saber también —y claro que lamentaba no saberlo— por qué podían ocurrir en el mundo sucesos tan terribles como aquellos en los que su oficio lo obligaba a envolverse, como en un manto trágico... ¿Y el Gordo Contreras? ¿Un policía corrupto, que se aprovechaba de su cargo, su uniforme y su placa para joder a los demás? No, dijo negándose todavía ante lo que, al parecer, ya no tenía negación posible.

Cuando salió al parqueo de la Central, el Conde sintió

que todo el calor de la ciudad se le echaba encima, como debía suceder cuando se atravesaba las aguas negras del Averno, frente a las puertas sulfurosas del mundo del retorno imposible.

—¿Ya llevaste a María Antonia? —le preguntó entonces a Manuel Palacios, mientras abordaba el auto.

—Sí, me dijo que la llevara para Miramar. Quería recoger sus cosas. Dice que esta noche va para casa de su hermano.

—Por lo menos ella va a presenciar el desenmascaramiento. Ojalá que pueda disfrutarlo... Llévame para mi casa, creo que me hace falta dormir. Tal vez soñar —citó, encendió un cigarro y escupió hacia la calle—. Qué mierda, ¿no?

—Sí, Conde, qué clase de mierda... Oye, ¿suena feo que te pida perdón por todas las estupideces que te dije el otro día?

El sudor lo despertó con una sensibilidad de anguila en la piel. Buscó las cifras rojas del reloj eléctrico y encontró la pizarra cegada. También el ventilador había dejado de girar. Pero cómo se va a ir la luz a esta hora, protestó, cuando al fin encontró su reloj de pulsera y comprobó que eran apenas las cuatro de la tarde. Penetrando la densidad de las cortinas, el reflejo del sol flotaba impertinente en su habitación, como un beneficio impuesto al que no se puede renunciar. Había pensado despertarse cuando ya hubiera oscurecido. Se levantó y fue en busca de los restos mortales del café que hiciera esa mañana. Mientras lo bebía, observó a través de la ventana las perspectivas de su futuro más inmediato y por primera vez en varios meses le parecieron levemente propicias. Fumó tranquilo y, cuando se disponía a ducharse, sonó el teléfono.

—Soy yo, Mario.

—Sí, Mayor, ¿qué pasó?

—El hombre está aquí, ya confesó.

—¿Y cómo fue la función?

—Bueno, dice él que debió de haber sido un momento de locura, que nunca pensó hacer eso, y le echa la culpa de todo a Alexis. Dice que él salió del hotel Riviera, donde tenía una cita con un diputado italiano que es su amigo personal, y que se encontró en la calle con una mujer, al lado de su carro. Dice que en el primer momento no lo reconoció, pero que la miró porque tenía algo extraño, y se dio cuenta de que era Alexis. —La voz sin inflexiones intencionadas del mayor Rangel continuó la historia, que la mente del Conde, preparada ya para imaginarla, fue visualizando escena por escena, hasta el final trágico: el personaje del hombre grande, hasta esa mañana sin rostro, ahora tenía la cara de Faustino Arayán, que se asombra de ver a su hijo, vestido de mujer, esperándolo a la salida de un hotel—: «¿Y qué tú haces aquí con esa ropa de mujer?.

»"Nada, te estaba esperando para que me lleves a la casa. Toña me dijo que ibas a estar aquí. ¿Puedes llevarme en tu carro o te da mucha vergüenza verme así?"

»Alexis no recibe respuesta, pero su padre aborda el auto y le abre la puerta del copiloto. Faustino, molesto, enciende uno de los Montecristos que lleva en el bolsillo y el interior del auto se inunda de humo que se disipa cuando se pone en marcha.

»"¿Y qué vas a hacer en la casa, con ese vestido? ¿Tú te has vuelto loco? ¿No te da pena andar así por la calle? ¿De dónde tú vienes así?"

»"Me vestí en el baño del hotel y no me da ninguna pena... Hoy sentí que mi vida iba a cambiar. Recibí una luz, que me ordenó: Haz lo que tienes que hacer y ve a ver a tu padre."

»"Tú estás loco."

»"Estoy cuerdísimo."

214

»"Dime de una vez lo que quieres y no jodas más."

»"Entra ahí en el Bosque, para hablar más tranquilos."

»Faustino vuelve a pensar que su hijo ha enloquecido, que lo está provocando y que tal vez sea mejor resolverlo todo antes de llegar a la casa. Dobla a la izquierda y el auto desciende hacia el Bosque de La Habana, donde a esa hora de la noche corre una brisa que contrasta con el calor del resto de la ciudad.

»"Vamos para el río. Quiero ver el río."

»"Está bien, está bien. A ver, ¿qué me ibas a decir?"

»Y Alexis le dijo que lo odiaba, que lo despreciaba, que era un oportunista y un hipócrita, y de pronto se lanzó para golpearle la cara. Faustino soltó su tabaco y empujó a Alexis, que cayó arrodillado en la hierba, pero sólo para ponerse de pie y volver a agredirlo, y Faustino, sin explicarse cómo, se hizo con la banda de seda que se había soltado de la cintura de aquella equívoca y enfurecida mujer que a su vez lo enfurecía, lo agredía, lo volvía loco y, cuando se dio cuenta de lo que estaba haciendo, Alexis se desplomaba, con los pulmones vacíos de oxígeno... ¿Qué te parece?

—No suena mal, pero se te olvidó contar como la mitad de la historia. Alexis le dijo otra cosa que fue lo que lo volvió como loco: lo amenazó con hacer o contar algo, yo no sé... Y creo que por eso le pagó con dos monedas.

—No estés inventando, Conde.

—No estoy inventando, Viejo. Eso de oportunista, hipócrita y el odio, ya Alexis se lo había dicho mil veces. Averigüen ahora qué sabía Alexis que podía ser muy peligroso para el padre... Y Alexis se lo dijo porque sabía que él iba a reaccionar así. Desentierren toda esta historia y verán que van a aparecer cosas terribles, como que me llamo Mario Conde. Pero tienen que apretarlo, Viejo, como a cualquier delincuente.

—Me lo imagino...

—¿Y qué dice de las monedas?

—Dice que tuvo mucho miedo y de pronto se le ocurrió eso para despistar y se creyera que había sido cosa de homosexuales.

—Qué clase de hijo de puta, ¿no? ¿Y de la medalla qué cuenta?

—Dice que él pensó que tal vez nadie identificaría a Alexis, y por eso le quitó la medalla. Pero se le olvidó que podía llevar encima el carnet.

—Sí, a mí tampoco me parecía elegante esa mujer con un carnet de identidad encima. Así que en eso pensamos igual. Lo lamento por mí.

—Dice que él guardó la medalla en el cofrecito, esa misma noche... Ahora lo único que hace es echarle la culpa de todo a Alexis y decir que no sabe cómo pasó todo. Tú sabes cómo es eso.

—Sí, Viejo, yo sé cómo es eso, pero no se olviden de una cosa: ese tipo es un hijo de puta con marca de calidad y sello de garantía... Hay que tener una mente muy retorcida para que a uno se le ocurra eso de quitarle la medalla a un ahorcado que es su propio hijo para tratar de salvarse él y además meterle dos monedas en el culo. ¿Y por qué dice que no lo tiró al río?

—Dice que pasó una moto cerca y se asustó. Fue entonces cuando le quitó la medalla.

—Pues se puso fatal el hombre... Oye, Viejo, no tengan compasión con él...

—No te pongas así, Mario, todo se va a hacer como se debe hacer.

La voz del Mayor sonó ahora pastosa y apacible, y el Conde pensó que así era mejor: todo debía ser pastoso y apacible, y decidió empezar a quitarse de los hombros el fantasma rojo de Alexis Arayán.

—Bueno, allá él y ustedes... Viejo, ¿me das una semana de vacaciones?

—¿Qué te pasa? No me vengas con el cuento de que vas a escribir.

—No, claro que no. Quién se acuerda de eso. Es que estoy cansado y jodido. ¿Y tú cómo estás?

El silencio flotó sobre la línea más tiempo del que era previsible con el mayor Rangel.

—Estoy aburrido, Conde. Y decepcionado... Creo que voy a colgar el sable. Pero olvídate de eso, muchacho. Cógete la semana y si puedes ponte de verdad a escribir algo. Aprende a ayudarte a ti mismo y no te lamentes más... Ven por acá el lunes que viene. Si me hace falta te llamo antes, ¿okey?

—Okey, Viejo. Cuídate. Y mira: voy a ver si te consigo unos tabacos buenos —dijo, y colgó.

Mientras se duchaba pensó que le sobraba tiempo para encontrarse con Poly y sintió la necesidad de contarle al Marqués el último capítulo de aquella historia sórdida de la que, al final, nunca se sabría toda la verdad. Pero le debía aquella versión. Trataba de imaginar el modo en que le contaría todo al dramaturgo, y supo que no hacía más que ocultarse a sí mismo la verdadera ansiedad que le producía aquella visita: le llevaría su cuento al viejo dramaturgo. ¿Le gustará?, se preguntó mientras se bañaba, cuando se vestía, al salir a la calle, y todavía se lo preguntaba cuando dejó caer por tercera vez la aldaba y esperó a que se corrieran las cortinas del teatro del mundo de Alberto Marqués.

—Es usted un hombre sorprendente, amigo señor policía. Tanto que ahora creo que usted es un falso policía. Es como otro tipo de travestimiento, ¿no? Con la diferencia de que aquí se ha desnudado... y se ve cada cosa —dijo el Marqués, moviendo como un abanico las cuartillas del cuento.

—Pero... ¿qué le parece? —suplicó el Conde, tímido desde su desnudez advertida.

El dramaturgo sonrió, sin llegar a los hipidos. Esa tarde de domingo llevaba una bata de felpa, tal vez menos decrépita que la de seda, y para poder leer había abierto todas las ventanas de la sala y se acercó las cuartillas a los ojos, como si debiera sentirlas muy cerca de las pupilas, y el Conde al fin logró armar una idea exacta de la escenografía en que se habían encontrado todos esos días. Era la imagen que siempre se tiene de un desván, o una buhardilla, o esos lugares polvorientos y mohosos, apropiados para las películas de terror y que no existen en las casas cubanas, y menos en aquellas de puntal tan remoto. Mientras el Marqués leía, el Conde se había fumado dos cigarros y se dedicó a realizar el inventario de lo que podía ser útil en aquella acumulación surrealista de objetos que nunca suelen encontrarse: fuera de los dos sillones que ocupaban, el teniente apenas creyó salvable una mesa de madera oscurecida, la pata de bronce que debió de sostener una lámpara Art Nouveau y unos platos, que parecían sanos y quizás hasta de porcelana. Todo lo demás olía a cadáveres exquisitos, pero sin opciones de resurrección: aquéllos debían de ser los restos finales de la autofagia que seguramente el Marqués había practicado con su propia casa.

—Eso de qué me parece se lo digo después. Primero quiero saber algo. ¿Ultimamente ha leído a Camus o a Sartre?

El Conde buscó otro cigarro.

—No, si casi ni he leído. ¿Por qué?

—¿Conoce *El extranjero?* —el Conde afirmó y su huésped volvió a sonreír—. Bueno, es que su guagüero me recuerda al señor Meursault de *El extranjero...* Es hermosa esa posibilidad metafórica, ¿no? El existencialismo francés y las guaguas cubanas enlazados por la insistencia del sol —y volvió a sonreír y el Conde sintió deseos de agarrarlo por el cuello. El cabrón se está burlando.

—Entonces le parece ridículo.

—Pero no tiene título —siguió el Marqués, como si no hubiera oído el lamento del Conde, que ahora movió la cabeza: no tenía—. Pues a mí se me ocurre uno, viendo a estos personajes muertos antes de morir físicamente: *La muerte en el alma*. ¿Qué le parece?

—No sé, creo que me gusta.

—Pues si lo quiere, yo se lo regalo. Total, es de Sartre...

—Gracias —debió decir el Conde y pensó que no tenía sentido volver a pedirle su juicio definitivo sobre la calidad ya devaluada de aquel su cuento del alma.

—Es curioso volver a leer cuentos así... En otra época seguramente lo hubieran acusado de asumir posturas estéticas de carácter burgués y antimarxista. Imagínese usted esta lectura del cuento: no hay explicación lógica ni dialéctica al irracionalismo de sus personajes ni de su anécdota; es evidente la incapacidad de estas criaturas para explicar la desorganización de la vida humana, mientras que el detallismo naturalista del narrador no hace más que reforzar la desolación del hombre que ha recibido, no se sabe de dónde, una iluminación de su existencia. Tal estética, pudiera decirse entonces (como muchas veces se dijo), no es más que un reflejo de la degeneración espiritual de la burguesía moderna. Además, su obra no ofrece soluciones a las coyunturas sociales que plantea, por no decir lo que es más evidente: que transmite una imagen sórdida del hombre en una sociedad como la nuestra... ¿Qué le parece esa lectura? Pobre existencialismo... ¿Y qué hacemos entonces con esas obras tan horriblemente bellas de Camus y de Sartre y de Simone?... ¿Y el pobre Scott Fitzgerald y el escatológico Henry Miller y los buenos personajes de Carpentier, y el mundo oscuro de Onetti? ¿Decapitar la historia de la cultura y de las incertidumbres del hombre?... Pero sabe lo que más me sorprende: pues su capacidad de fabulación. Usted no escribió un cuento de aprendiz, amigo policía, sino el cuento de un escritor, aunque yo hubiera preferido otro final: que ella fuera la que matara al guagüero... Y, dígame, ¿cómo tuvo la idea de escribir este cuento? Es que siempre me fascina el misterio de la creación.

—No sé, creo que porque vi a un guagüero con cara de guagüero, y últimamente me han dicho que yo tengo cara de policía.

La risa del Marqués se convirtió en la cadena de hipidos que parecían empeñados en desarmarlo de una vez y el Conde estuvo a punto de ponerse de pie y salir de la casa.

—¿Y usted me creyó, amigo señor policía? Si fue sólo una broma. O una defensa, no sé bien. Quería poner distancias, usted sabe. Miedos y recelos, ¿no? Es que cuando uno ha recibido golpes, aprende a levantar los brazos antes de que intenten golpearlo de nuevo. Como el perro de Pavlov. Pero creo que me excedí con usted, la verdad: yo no soy tan perverso ni tan irónico, ni tan... ni tan maricón como le hice creer. No tanto. Por eso ahora le pido perdón si es que le falté al respeto. Un hombre con su sensibilidad y capaz de escribir una historia tan inquietante y tan conmovedora, pero además tan bien escrita y tan sincera, no merecía que yo lo hubiera tratado así. Le pido disculpas por todas mis ironías.

—¿Entonces me dijo que le parece bien el cuento? —insistió el Conde en busca de una afirmación simple, desprovista de las volutas verbales de la duda.

—¿Pero usted no oye? Ya se lo dije... Y le voy a decir algo más: también lo admiro como policía. Lo del tabaco fue cosa de genios, ¿no? A mí nunca se me hubiera ocurrido esa solución dramática para catalizar la tragedia que se había urdido... Porque no sé si notó que todo esto parecía una tragedia griega, en el mejor estilo de Sófocles, llena de equívocos, historias paralelas que comienzan veinte años antes y se cruzan definitivamente en un mismo día y personajes que no son quienes dicen que son, o que ocultan lo que son, o han cambiado tanto que nadie sabe ya quiénes son, y en un instante inesperado se reconocen trágicamente. Pero todos enfrentan un destino que los supera, los obliga y los impulsa en la acción dramática: sólo que aquí Layo mata a Edipo, o Egisto se adelanta a Orestes... ¿Se llamará filicidio?... Y todo se desata porque se comete *hybris*. Hay excesos de pasión, de ambición de poder, de odios enconados, y eso suele ser duramente castigado... Lo único lamentable de este juego casi teatral es que los dioses hayan escogido a Alexis para el sacrificio macabro de su destino. Lo que hizo ese pobre niño me ha dejado un gran dolor, porque en mis años ya he visto morir a demasiada gente, a decenas de amigos, a toda mi familia, y cada muerte cercana es como una advertencia alarmante de que la mía puede ser la próxima, y cuanto más viejo soy, más le temo a la muerte. Pero ahora me alegro mucho de que usted haya desenmascarado a ese señor y que lo hayan metido preso... Porque voy a contarle todavía algo más: ¿quiere saber dónde empezaron a cruzarse las líneas de esta tragedia? En París, aquella primavera de 1969: Faustino Arayán fue el funcionario de la embajada que tocó aquel día en la casa del Recio para decir que el Otro Muchacho estaba en la comisaría. Y él fue quien decidió que el Otro debía regresar a Cuba, y lo mandó envuelto en papeles donde puso toda la mierda que quiso, de el Otro y de mí también, por supuesto. Y, claro, Alexis también sabía todo esto...

Había llegado el fin de la fiesta y salí de París bajo la lluvia. Porque la primavera de París es así de frágil: los aleteos agónicos del invierno pueden agredirla con una impunidad sencillamente asquerosa y vengativa. El mal tiempo comenzó sin previo aviso y las ventanas, que por el día dejábamos abiertas a los olores y los ruidos amables de aquella temporada, tuvieron que ser cerradas, para ver a través de los cristales cómo la lluvia gélida maltrataba los brotes vírgenes de los árboles de la plaza cercana. Dos días antes yo había terminado mis búsquedas de documentos sobre Artaud y también el ciclo de clases magistrales en el Teatro de las Naciones, donde expuse por primera vez en público mi nueva idea del montaje de *Electra Garrigó* a partir de lo que llamé una estética travesti. Fue un éxito, en realidad mi último gran éxito público... De Sartre a Grotowsky, pasando por Truffaut, Néstor Almendros, Julio Cortázar y Simone Signoret, me hicieron elogios públicos y privados y recibí allí mismo la invitación para presentar la obra en la temporada siguiente, con funciones en seis ciudades francesas. Estaba en el clímax de mi sueño cuando empezó a llover en París, como si no hubiera llovido nunca, y decidí entonces regresar al sol impío pero seguro de La Habana, con una prisa febril por meterme en el trabajo. El Recio me acompañó hasta Orly, y nunca pudimos imaginar que aquel abrazo y el beso que me dio en el cuello sería el último contacto carnal que tendría con él. Nunca volvimos a vernos.

Nada más llegar me puse a trabajar. Dejé que los otros directores se encargaran del repertorio de ese año y me encerré en la casa con el texto de Virgilio, y empecé a concebir el montaje. En diciembre ya tuve listo el primer libreto, con todos los bocetos de escenografía y vestuario, la distribución escénica por actos y escenas, y un reparto tentativo en el que participaban actores de diversos grupos, porque necesitaba contar con lo mejor de la escena cubana. Pero entonces ya había empezado la zafra y todo el país estaba en función de cortar y moler caña: hasta los actores y los técnicos de teatro, y debí esperar hasta julio para tener la posibilidad de trabajar con la gente que yo quería. Escribí a París y les expliqué las causas del retraso y amablemente pospusieron la gira para el año terrible de 1971, y entonces aproveché para preparar la edición de *El teatro y su doble*, la mejor que se ha publicado en castellano...

Por fin, el 6 de septiembre reuní en el teatro a todos los que iban a trabajar en la puesta y entonces hice una primera lectura del libreto, explicando los complementos escenográficos, de luces, vestuario y actuación que se requerían. El aplauso, al final, con todo el mundo de pie, me convenció definitivamente de que había llegado a las puertas del cielo: sólo tenía que tocar para que el buen San Pedro me recibiera con los brazos abiertos... Y empezamos a trabajar. Aunque todo se hacía muy difícil (las telas para el vestuario, la confección de las treinta y dos máscaras que llevaba la puesta, el traje impecable del Pedagogo-centauro, los diseños escenográficos), poco a poco fuimos consiguiendo lo necesario y en enero pasamos de los ensayos en frío a los ensayos con el escenario y los trajes listos. El trabajo de los actores era de verdad muy complicado y yo les exigía la perfección. Ellos debían manejar las máscaras como si fuesen sus propias caras y eso requería un entrenamiento especial y muchísimo trabajo, y dedicamos largas horas a ver filmaciones de teatro japonés. Entonces empecé a invitar a muy determinadas personas a ver los ensayos y todos salían de allí alucinados. Sólo Virgilio me dijo algo que, en mi euforia, no supe oír: Marqués, esto es mejor que lo que yo escribí, más intenso, más provocador, y me tienes así, todo ano-nadado, o sea, con el culo en el agua... Pero viejo, es demasiado turbulenta y cruel, y yo tengo un miedo que me cago... En realidad el ambiente ya estaba muy turbio, pero no supe ver las señales de peligro que llegaban de todas partes, como presagiando la tormenta. Siempre he tenido el defecto de no creer en los partes meteorológicos. Dejo que la pasión me envuelva y cierro ojos y oídos a todo lo que no sea esa idea fija... Por eso al fin pusimos fecha de estreno en La Habana para abril y el inicio de la gira por Francia para mayo. Y ahí empezó el principio del último acto de la historia que terminaría con la representación que hicieron los cuatro burócratas tras la mesa de disecciones colocada sobre un escenario teatral... Un día me llamaron para decirme que había problemas con lo del viaje a París. Ellos tenían en sus manos unos informes de que en mi última estancia en Francia había habido problemas morales bastante serios y que se sabía que me había alojado incluso en la casa del Recio, que mantenía una actitud ambigua hacia el proceso y tenía relaciones sospechosamente cordiales con ciertos círculos intelectuales franceses, seudorrevolucionarios y revisionistas... Que me había reunido con Néstor Almendros y con otras personas que mantenían actitudes críticas, entre las que incluyeron hasta al fiel Julio Cortázar, y fue entonces cuando empezaron a contarme cosas que sólo dos personas sabían: el Recio y el Otro Muchacho... Me dijeron que en la embajada de París conocían muy bien todas aquellas historias, en las que descubrí que se ligaban la verdad y la mentira de un modo sorprendente: los sucesos eran reales y sólo los podía haber contado el Otro, porque se veía la vulgaridad de su sello en lo que me iban contando, pero las valoraciones eran como para orinarse de risa si aquello no hubiera sido bien en serio. Ahí se podía decir cualquier cosa sobre mi persona, mi obra, mi moral, mi actitud, mi ideología y hasta mi aliento... Pero todavía no me dejé derrotar. Le escribí al Recio y le pedí que moviera influencias en París para agilizar las invitaciones y las hiciera llegar por la vía más oficial posible, y mantuve la fecha de estreno en Cuba para abril. Entonces vino el golpe maestro: en una semana vi cómo se me iban de la obra Orestes, el Pedagogo, Clitemnestra Pla, y hasta la mismísima Electra Garrigó... Yo creí que me moría, pero todavía no me di por vencido y empecé a buscar otros actores, hasta el mismo día en que nos citaron a todos en el teatro y se decidió, *in absentia,* expulsarme del grupo por veinticuatro votos a favor y dos abstenciones.

A los dos meses, el Otro Muchacho publicó un texto sobre el teatro cubano contemporáneo donde no citaba mi nombre ni mis obras, como si yo no hubiera existido nunca o como si fuera imposible que yo volviera a existir... Entonces comprendí que no había nada que hacer, o que no tenía nada que hacer, más que refugiarme en mi caracol, como una babosa hostigada. Y dejé que cayera el telón. Me di por vencido y acepté todos los castigos: trabajar en la fábrica, primero, y en la biblioteca, después, olvidarme del teatro y de las publicaciones, de los viajes y las entrevistas, convertirme en nada. Y asumí mi papel de fantasma vivo, actuando con máscara y todo, tanto tiempo, que ya usted lo ve: una máscara blanca es ahora mi propio rostro.

—¿Verdad? —le dijo el Marqués y agregó—: Pero venga ahora conmigo —y el Conde lo siguió por la sala, atravesaron el cuarto, avanzaron por el corredor y llegaron a la habitación con olor a humedad, polvos antiguos y papeles viejos. El dramaturgo encendió la luz y el policía se vio rodeado de libros, desde el piso hasta el techo altísimo, libros en cifras y calidades incalculables, en encuadernaciones y volúmenes disímiles, en tamaños y colores diversos: libros.

—Mire bien, ¿qué ve?

—Bueno..., libros.

—Libros, sí, pero usted que es un escritor debe saber que está viendo algo más: está asomándose a lo eterno, a lo imborrable, a lo magnífico, a algo contra lo que nadie puede, ni siquiera el olvido. Mire, ese que está allí es la edición de *El paraíso perdido* que me robé... Como usted sabe, su autor es el poeta Milton y las ilustraciones son de Gustavo Doré. Ahora le voy a preguntar algo: ¿quién podría saber cómo se llamó aquel vecino de Milton, un hombre riquísimo, muy temido en su tiempo, que quizás algún día lo acusó de cualquier barbaridad? ¿Usted no lo sabe? Claro: nadie lo sabe ni nadie debería saberlo, pero todo el mundo recuerda quién fue el poeta. ¿Y Dante, fue güelfo o gibelino? Tampoco lo sabe, ¿verdad?, pero sí sabe que escribió *La Divina Comedia* y que su fama es superior a la de todos los políticos de su tiempo. Pues eso es lo invencible... Y ahora le voy a decir por qué lo traje hasta aquí.

Y avanzó hasta uno de los estantes y tomó una carpeta

225

roja, atada con cintas que alguna vez fueron blancas y ahora lucían varias capas de suciedad.

—Le voy a contar esto, amigo policía, porque creo que se lo debo, como le debía una disculpa por mis excesos con usted... Pues aquí dentro hay ocho obras de teatro escritas durante estos años de silencio y en esa otra carpeta que ve allí hay un ensayo de trescientas páginas sobre la recreación de los mitos griegos en el teatro occidental del siglo veinte. ¿Qué le parece?

El Conde hizo su gesto: movió la cabeza, negando.

—¿Y por qué lo tiene escondido? ¿Por qué no trata de publicar todo eso?

—Por lo que le dije antes: mi personaje debe sufrir el silencio hasta el fin. Pero ése es el personaje: el actor ha hecho lo que debía hacer, y por eso seguí escribiendo, porque, como a Milton, un día van a recordar al escritor y nadie será capaz de mencionar al triste funcionario que lo hostilizó. No me dejaron publicar ni dirigir, pero nadie me podía impedir que escribiera y que pensara. Estas dos carpetas son mi mejor venganza, ¿me entiende ahora?

—Creo que sí —dijo el Conde y acarició las hojas mecanografiadas de su cuento y descubrió, en ese instante, que no sabía qué hacer con él. Tal vez sólo era una historia para tres lectores: él mismo, el Flaco Carlos y Alberto Marqués, y sin embargo, eso le resultó suficiente. No, ni siquiera le parecía necesario exhibirse más allá, ni pretender nada de la literatura: sólo hacerla, pues el Marqués tenía razón: en aquellas cuartillas estaba lo invencible.

—Yo también quería disculparme, Alberto. En algún momento debí de ser demasiado brusco con usted.

—¡Ay, mijo! ¡Pero si tú eres un ángel! Tú no sabes lo que es ser brusco conmigo. Mira, si te cuento... Mejor no, deja.

El Conde sonrió, recordando las historias escuchadas sobre las aventuras eróticas del Marqués, en aquella misma casa. Bueno, diga lo que diga es maricón, eso sí no es mentira, pero ya me cae bien, concluyó.

—Vamos, mejor nos sentamos —propuso el Marqués y regresaron a la sala, mientras el Conde encendía un cigarro.

—He de confesar que ahora soy yo el que está anonadado —dijo el policía mientras recuperaba su asiento y su lugar en el escenario de la sala—. Pero todas estas confesiones me han reafirmado una idea que tengo desde hace dos o tres días: usted no me ha dicho algo que sabe y que puede explicar mejor la muerte de Alexis. ¿Me lo cuenta ahora o lo tengo que interrogar?

—Así que usted cree que todavía hay más... Me ha salido todo un sabueso, ¿no? ¿Entonces quiere oír más? —insistió el Marqués y, sin esperar respuesta, alzó uno de sus brazos para que la manga de su bata dejara espacio y, como un mago muy espectacular, para introducir la mano y sacar algo que le mostraría al Conde—. ¿Quiere que le diga qué fue lo que debió de decirle Alexis a Faustino para que él se pusiera así? Bueno, pues... ay, qué lengua la mía. No, no debo decírselo, porque cuando Alexis lo descubrió y me lo dijo, me hizo jurar sobre su Biblia que, pasara lo que pasara, yo no se lo diría a nadie. Y a nadie se lo he dicho... Por eso me quedé callado, ¿sabe?

El Conde sonrió.

—¿Y ahora usted cree en juramentos sagrados? ¿Aunque mantener ese secreto pueda salvar al asesino de Alexis o atenuar su culpa?

El Marqués se pasó la mano por la mal poblada cabeza y sonrió, diabólicamente.

—Verdad, si yo no creo en nada y ese señor es... Pero déjeme decirle que también me quedé callado porque no me imaginé que ese hombre fuera capaz de llegar a hacer lo que hizo... Pues lo que Alexis le dijo fue que se había enterado del fraude que su padre cometió en 1959, cuando falsificó unos documentos y se consiguió un par de testimonios falsos que atestiguaban que había luchado en la clandestinidad contra Batista... Así fue como Faustino se montó en el carro de la Revolución, con un pasado que le garantizaba ser considerado un hombre de confianza que merecía su recompensa... ¿Se imagina usted lo que pasaba si eso se sabía? Bueno, ya usted sabe: se le acababa la fiesta.

El Conde quiso sonreír, pero no pudo. Debe de ser otra historia de este cabrón, pensó.

—Por eso le pagó con dos monedas... ¿Y cómo Alexis se enteró de esa historia? ¿Quién se la pudo contar?

—Se la contó María Antonia...

—¿Y por qué ella se lo contó?

—No sé, quizás porque pensaba que Alexis debía de tener esa carta en la mano, ¿no cree?

El Conde sonrió por fin.

—Así que María Antonia. Cuántas cosas sabía María Antonia; y yo que creí...

—Sí, usted es un crédulo, mi amigo policía. Pero es preferible que sea así: mejor crédulo que cínico. Por eso le voy a confesar otra cosa más: muchas de las acusaciones que me hicieron son ciertas: soy autosuficiente, orgulloso, experimentalista y desde que cumplí los doce años y comprendí que estaba enamorado del novio de mi hermana, aprendí que aquello no tenía otro remedio que revolcarme donde fuera con un hombre, y desde entonces lo estoy haciendo. Porque eso sí es mío, ayer, hoy y mañana, como dice el lema...

El Conde nunca pensó que pudiera oír algo así y que, además, le resultara simpático y no pensara en levantarse y patear a aquel pájaro exultante. Pero, de cualquier modo, decidió que se imponía una retirada a tiempo, y trató de atar los últimos cabos de aquella historia.

—El informe de París, ¿lo había escrito Arayán?

—¿Quién si no? Siempre fue un mal bicho, insidioso y trepador.

—¿Y qué ha sabido del Recio?

—Qué terrible es todo, ¿no? Supe que está muy mal, pero muy mal. Dicen que le quedan unos meses... Pobre amigo mío. El sufrió mucho con lo que me ocurrió a mí. Tal vez hasta más que yo.

—Bueno —dijo entonces el Conde, mientras se ponía de pie—, tengo que irme. Pero quiero hacerle dos últimas preguntas...

—Siempre es igual: dos últimas preguntas.

—¿Quién es el Otro Muchacho?

—¿Pero no lo adivinó? Ay, usted no es tan buen policía entonces. Mire que le di todas las pistas. Así que averígüelo usted, si piensa ser escritor y no quiere buscarse problemas. ¿Y cuál es la otra?

—El día que fui a orinar en su baño, ¿usted se puso a mirarme?

El Marqués recuperó aquel gesto de asombro que el Conde ya conocía: armó una enorme O muda en la boca y la mano derecha sobre el pecho, como dispuesto a jurar.

—¿Yo? ¿Usted me cree capaz de eso, amigo señor policía?

—Sí.

Entonces se rió, pero sin llegar a los hipidos.

—Pues es usted muy mal pensado...

—Si usted lo dice.

—Claro que lo digo... Oiga, pero quiero pedirle un favor: guárdeme mi secreto. Usted me ha caído bien y cuando alguien me cae así, me pongo propenso a las confesiones. Pero lo que hay en esas carpetas sólo lo saben tres personas, y usted es una de ellas.

—No se preocupe. Ni siquiera le voy a preguntar quién es la otra, además del Recio... Bueno, ahora sí me voy. Gracias por todo.

—¿Y cuándo vuelve por acá?

—Cuando escriba otro cuento o cuando maten a otro travesti. Ahí le dejo el libro del Recio que me prestó, así que no le debo nada, ¿no? Bueno, casi nada... —dijo, y le extendió la mano al Marqués, que depositó su escuálida estructura ósea sobre la palma del Conde. Si te agarra el Gordo Contreras, pensó el teniente, y oprimió levemente la mano del dramaturgo, pero enseguida la soltó, pues creyó adivinar un acercamiento peligroso que se iniciaba desde la cara del Marqués. ¿Me quiere dar un beso? No, no, ahí sí que no, pensó, y salió a la calle, donde un sol magenta remataba con delicados tonos purpúreos la agonía lánguida y aterciopelada de aquella tarde de domingo, más maricona que el propio Alberto Marqués.

Mientras se zambullía en la parte vieja de la ciudad, el Conde observaba con ojos interrogantes a cada mujer que se cruzaba en su camino: ¿Será un travesti?, se preguntaba, buscando algún detalle revelador en los afeites, las manos, la forma de los senos y la curva de las nalgas. Dos jóvenes, que caminaban con las caderas sueltas y tomadas del brazo, le resultaron levemente sospechosas de transformismo, pero la penumbra de la calle no le permitió llegar al convencimiento acusatorio. Entonces se dio cuenta de que quería encontrar a un travesti. ¿Para qué?, se preguntó, vacío de respuestas, y pensó, mientras subía hacia el apartamento de Poly, que debía sacarse todo aquel lastre de la cabeza si quería volver a elevarse y disfrutar del espectáculo de ver la andadura de una hembra, mejor si cubana, mejor si por una calle de La Habana, y pensar que aquellos senos bailarines, las nalgas inabarcables, la boca mamífera, podían ser precisamente para él.

Poly lo recibió en la puerta, apenas cubierta con una bata blanca a través de la que se revelaban la oscuridad rojiza de sus pezones y la negritud de su cabellera inferior. Sin dejarlo hablar se abalanzó sobre él y le disparó la lengua entre los labios, como una serpiente desesperada.

—Dios, qué maravilla, un heterosexual policía —dijo cuando terminó su cacheo bucal, y mientras oprimía con su mano la turgencia despabilada del Conde, que le preguntó, en el límite de su orgullo:

—¿Me estabas esperando?

—¿Qué tú crees, machista-estalinista? ¿Y qué traes en ese bolso? —fue ella la que preguntó entonces y trató de mirar hacia el interior de la jaba, pero el Conde se lo impidió.

—Espérate, que primero quiero preguntarte una cosa... ¿Puedo quedarme tres días aquí contigo, sin salir ni a ver el sol?

Ella sonrió, mostrando sus afilados dientecitos de gorrión.

—¿Haciendo qué?

—Algo que no aburre nunca...

—Creo que sí.

—Bueno, coge el bolso y ponlo en la trinchera. Ahí traje diez huevos, una lata de sardinas, dos botellas de ron, cinco cajas de cigarros, un pedazo de pan y un paquete de macarrones. Con eso nos hacemos fuertes y resistimos el asedio... ¿Tú tienes café? Bueno, pues entonces sí que somos invencibles, como Milton.

—¿Qué Milton?

—El músico brasileño... Ahora me hace falta hablar por teléfono —dijo al fin, mientras se quitaba la camisa.

Marcó el número directo del mayor Rangel y no se sorprendió de encontrarlo todavía en la Central.

—Viejo, oye esto y prepárate para caerte de culo —le dijo, sonrió, y le contó la última revelación posible sobre el enmascarado Faustino Arayán—. Bueno, ¿qué te parece?

—Lo dicho: este país se ha vuelto loco —y su voz sonó hueca de asombros o cansancios: simplemente era una voz vacía, y el Conde pensó como otras veces: su voz es el espejo de su alma.

—Bueno, me gané la semana libre, ¿no?

—Sí, te la ganaste bien. Ojalá algún día quieras ser un buen policía... Y hablando de eso, ¿me vas a decir alguna vez por qué te metiste a policía?, ¿eh, Conde?

—Pues voy a tratar de averiguarlo y luego le cuento... Ah, pero sí le puedo decir una cosa que yo sé: usted es el mejor jefe de policías del mundo, digan lo que digan y hagan lo que hagan.

—Gracias, Mario, siempre es bueno saber cosas así, aunque a veces no sirva para nada.

—Sí sirve, Viejo, y usted lo sabe. Cuídese y lo veo el lunes —dijo y colgó, para marcar el número del Flaco. Sólo debió esperar tres timbrazos.

—Flaco, soy yo.

—Dime, salvaje. ¿Vienes para acá?

—No, hoy no puedo, ni mañana, ni pasado... Estoy con un culito de gorrión. Le pedí asilo por tres días.

—Oye, tú, ¿estás enamorado de la loquilla esa?

—No sé, Flaco. Pero creo que con la cabeza que piensa no estoy enamorado, y así es mejor.

—Menos mal... Pero ten cuidado con la otra cabeza, que cuando le coge el gusto a una idea...

—Oye, apunta ahí un número de teléfono. Anjá: seis, uno, tres, cuatro, cinco, seis. Eso es para ti y para la vieja Josefina, por si les hago falta, pero no se lo des ni a la muerte si te lo pide. Ni a la Fundación Guggenheim, ni a Salinger si viene a verme a La Habana, ¿está bien? Ah, se lo das a Candito el Rojo si me busca para algo...

—Oye, ¿y si te quieren ver los investigadores esos?

—Pues que se jodan, Flaco, que se jodan, o que me echen arriba los perros de busca y captura. Vamos a hacer la versión cubana de *Soy un fugitivo*... Ah, se me olvidaba lo más importante con tanta mierda que estoy hablando: compra dos botellas de ron para el miércoles, que yo te doy el dinero. Es mi regalo de cumpleaños. Yo voy a llamar a Andrés y al Conejo a ver qué inventamos ese día, ¿está bien?

—No hay lío. ¿Tú sabes lo que quiere hacer la vieja por mi cumpleaños? Dice que un asado argentino, con bife de chorizo, chinculines, solomillos, filetes... Ah, oye, y acuérdate que no me trajiste la fotocopia del cuento, tú.

—Pero yo te la llevo el miércoles... Oye, ¿y qué vas a hacer tú con lo de Dulcita?

El Conde sabía que debía esperar y esperó con toda su paciencia.

—Nada, Conde, ¿qué coño voy a hacer? Si viene, pues que venga, y la veo y le digo: Así es la vida, mi socia.

—Sí, eso es lo jodido, que así es la vida. Bueno, después hablamos. Un abrazo, mi hermano —y colgó.

Poly lo esperaba sentada en el borde de la cama, con un vaso de ron en cada mano, y el Conde pensó que era injusto sentirse feliz mientras el Flaco, que ya no era flaco, víctima de una guerra geopolítica en la que fue un peón destrozado, tenía vedadas todas las posibilidades de aquella satisfacción necesaria y sufría con la idea de que una de sus antiguas novias lo viera así, en el fondo del abismo. Acarició el cerquillo de Poly y escogió el vaso más lleno y, sin camisa, salió al pequeño balcón del apartamento en busca de un alivio para sus calores físicos y mentales y observó, en la noche incipiente, las azoteas de La Habana Vieja, erizadas de antenas, ansias de derrumbe e historias inabarcables. ¿Por qué carajo todo tiene que ser así? Pues porque todo es así y no de otra manera, Conde. ¿Será posible volver atrás y desfacer entuertos y errores y equivocaciones? No es posible, Conde, aunque todavía puedes ser invencible, se dijo, cuando, en medio de la oscuridad, descubrió el vuelo extravagante de aquella paloma blanca, que brotaba de un sueño o burlaba sus costumbres de animal diurno y desafiaba la noche tórrida y tomaba altura, en una vertical insistente, y después plegaba las alas y hacía unas piruetas extrañas, como si en ese instante descubriera la sensación vertiginosa de caer en el vacío, hasta que la perdía de vista, detrás de un edificio carcomido por los años. Yo soy esa paloma, pensó, y pensó que, como ella, no tenía otra cosa que hacer: sólo remontar el vuelo, hasta perderse en el cielo y en la noche.

Mantilla, 1994-1995

.

Últimos títulos